T3-BOG-652

Françoise Tchou
en rappel!
français XL 2
• La conjugaison
• La phrase
• Les pronoms
• Les homophones
ISBN 978-2-89144-446-0
9 782891 444460

Collection conçue et dirigée par Michel Brindamour • **Révision pédagogique :** Pierrette Tranquille • **Révision linguistique :** Christine Barozzi • **Illustration :** Philippe Germain • **Conception graphique originale :** Eykel Design • **Réalisation et conception de la couverture :** La boîte de Pandore • **Éditrice adjointe :** Véronique Beaunoyer • **Responsable éditoriale :** Corinne Audinet

Marcel Didier inc. 1815, avenue De Lorimier, Montréal (Québec) H2K 3W6 Canada

Téléphone : (514) 523-1523
Télécopieur : (514) 523-9969
www.marcel**didier**.com

Distribution Canada :
Éditions Hurtubise HMH ltée

Distribution France :
Librairie du Québec à Paris
www.librairieduquebec.fr

Nous reconnaissons l'aide financière du gouvernement du Canada par l'entremise du Programme d'aide au développement de l'industrie de l'édition (PADIÉ) pour nos activités d'édition.

ISBN 978-2-89144-446-0

Dépôt légal – 4e trimestre 2007
Bibliothèque et archives nationales du Québec
Bibliothèque et archives du Canada

Imprimé au Canada sur les presses de l'Imprimerie Lebonfon, Val d'or, Québec.

Mot de l'éditeur

Pour ceux qui ne la connaissent pas, la collection **En rappel ! – français** est une série de huit cahiers d'exercices, chaque cahier portant sur une notion essentielle du français. Grâce à des explications simples, des exercices progressifs et des rappels de règle, l'élève revoit ou réapprend les notions de base en repartant du bon pied.

Conçue à l'origine pour les élèves du secondaire qui ont mal assimilé les notions fondamentales de français, la collection s'est vite retrouvée entre les mains de cégépiens, d'étudiants universitaires, d'adultes qui retournent à l'école, d'étudiants en français langue seconde, bref, de tous ceux qui éprouvent des difficultés en français ou qui sentent le besoin de se rafraîchir la mémoire.

C'est en pensant à eux plus particulièrement et, surtout, parce qu'une difficulté n'arrive jamais seule, que nous avons décidé d'offrir une version XL (Extra Large) qui regroupe plusieurs notions grammaticales réparties en deux volumes : **En rappel ! – français (1)** et **En rappel ! – français (2)**.

- L'accord du verbe avec son sujet
- Les participes passés
- Le genre et le nombre
- Les prépositions

en rappel!
français XL 2

- La conjugaison
- La phrase
- Les pronoms
- Les homophones

Sommaire

La phrase

Les homophones 105

La conjugaison

Qu'est-ce qu'un verbe ?

1 Identifier un verbe à l'infinitif

Un verbe est un mot qui permet:

- d'exprimer une **action**, c'est-à-dire ce que l'on **fait**.
  Exemples: marcher, courir.
- d'attribuer une caractéristique au sujet.
  Exemple: Elle **paraît** fatiguée.
  Ces verbes sont appelés verbes **attributifs** (ou verbes d'état).

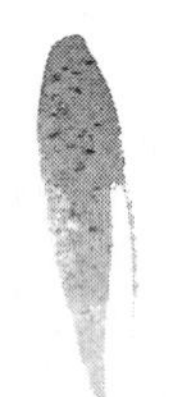

Deux trucs pour reconnaître un verbe

- Un verbe ne peut jamais être précédé des déterminants **un** ou **une**.
  Exemples: ~~un courir~~, **un** coureur, ~~une boire~~, **une** boîte.
- Seul un verbe peut être accompagné par la négation **ne pas**.
  Exemples: ~~ne pas chaussure~~, **ne pas** boire.

Exercice 1 **Dans la liste ci-dessous, barrez les seize mots qui ne sont pas des verbes.**

désir	avenir	décevoir	abreuvoir	arrosoir	plaisir
je	recevoir	asseoir	vert	punir	montagne
éblouir	vampire	vizir	écrire	finir	loisir
coudre	cylindre	faire	des	foudre	plaire
voir	son	pleuvoir	le	courir	peindre

Exercice 2 **Dans la liste ci-dessous, entourez les verbes.**

jardiner	attraper	marteau	vous	suivre	avoir
chaise	coucher	cueillir	fleur	mouchoir	moucher
ton	sapin	veau	beau	couper	cacher
lunette	permettre	jardinier	navet	baigner	piscine
Pierrette	mer	mère	douze	compter	raconter

2 Le classement des verbes

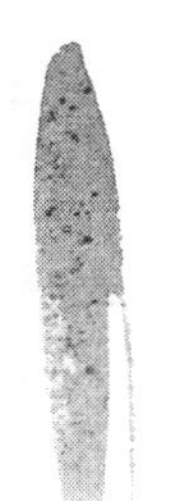

Les verbes se classent en deux catégories

- Les verbes qui se terminent à l'infinitif par **-er** (sauf le verbe aller).
  Exemple : aim**er**.
  Il y en a environ 4 000, c'est-à-dire 90 % des verbes de la langue française.
- Tous les autres verbes.
  Exemples : fin**ir**, prend**re**, recev**oir**.
  Il y en a environ 450, c'est-à-dire 10 % des verbes de la langue française.
  Environ 300 verbes se terminent par **-ir**, une centaine se termine par **-re** et une trentaine se termine par **-oir**.

Exercice 3 **Dans la liste ci-dessous, entourez les vingt-trois verbes. Soulignez en vert ceux de la première catégorie (qui se terminent par -er) et soulignez en bleu les autres verbes.**

plier	étudier	février	bonsoir	bouclier	colorier
mou	perdre	évier	régulier	prêter	voilà
cahier	défier	fin	mobilier	quartier	financier
acheter	liberté	pardonner	demain	parenté	localité
ajouter	écrire	chantier	plaisir	planter	quand
paraître	sauter	vouloir	fuir	sembler	bâtir
demeurer	dormir	devenir	rester	glisser	patiner

Exercice 4 **Complétez les verbes par -er, -ir, -re ou -oir.**

pleur_____	roul _____	rapport _____	roug _____
comprend _____	croi _____	cour_____	construi _____
copi _____	ski _____	demand _____	attrap _____
écri _____	dev _____	chois _____	asse _____
mett _____	reven _____	accept _____	perd _____
connaît _____	fai _____	commenc _____	discut _____

3 Le radical et la terminaison

Les verbes se composent de deux parties: le radical et la terminaison.
Exemple: **aim** / **er**
radical terminaison

Un verbe ne s'écrit pas toujours à l'infinitif. C'est généralement par sa terminaison qu'il change de forme.
Exemples: tu aim**es**, tu aim**eras**; tu fin**is**, tu fin**iras**; tu prend**s**, tu prend**ras**.

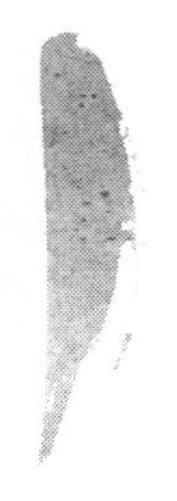

Exercice 5 **Séparez d'une barre (/) le radical et la terminaison des verbes suivants.**

gronder	expliquer	punir	vendre
je gronderai	ils expliquent	tu puniras	je vends
vous gronderiez	nous expliquons	elle punit	nous vendions

Exercice 6 **Dans le texte ci-dessous, entourez les différentes formes du verbe chanter et séparez d'une barre (/) le radical et la terminaison.**

J'adore le chant et j'adore chanter. Je chante depuis toujours et je chanterai probablement toute ma vie. Je viens d'une famille de chanteurs et d'amoureux de la chanson. À l'âge de trois ans, je chantais déjà en public. À Noël, nous chantions en famille. Mes deux sœurs chantaient dans une chorale. Mon père, qui adorait Willie Lamothe, un chanteur western célèbre dans les années soixante, chantait à l'adolescence dans un orchestre de rock'n'roll. Ma mère, qui chante toujours dans son bain, chanterait volontiers dans un orchestre de jazz. Mon grand-père m'a raconté qu'il chanta jadis devant la reine d'Angleterre. Il aime encore de temps en temps pousser une chansonnette. Ma grand-mère, une fanatique des chanteuses d'opéra et des chansonniers, nous dit souvent: « Si vous voulez vivre heureux, chantez, mes enfants; il faut que vous chantiez sans arrêt, du matin au soir. »

La conjugaison

1 Qu'est-ce que la conjugaison ?

Un verbe change de forme selon la personne, le nombre, le mode et le temps. On appelle **conjugaison** cet ensemble de formes qu'un verbe peut prendre.

À l'infinitif et au participe, un verbe n'est pas conjugué.

Exercice 7 **Écrivez l'infinitif des verbes conjugués. Aidez-vous de la liste ci-dessous.**

devoir, craindre, vouloir, observer, rester, partir, refuser, apprendre, suivre, chercher, finir, mettre

nous voulons	______________	je crains	______________
il observait	______________	je refuse	______________
vous suivez	______________	ils doivent	______________
j'apprends	______________	vous cherchez	______________
je pars	______________	je reste	______________
ils finissent	______________	nous mettons	______________

Exercice 8 **Dans le texte ci-dessous, entourez les verbes conjugués.**

De qui parle-t-on ? Quel métier fait-il ?

On le considère comme le meilleur au monde dans son domaine. Originaire de la ville de Québec, il exerça son métier pendant longtemps à Montréal, avant de déménager dans l'ouest des États-Unis. Pendant son adolescence, on le surnommait « Casseau » parce qu'il préférait les frites aux pommes de terre en purée. Comme un chirurgien ou un soudeur, il doit porter un masque pendant qu'il travaille. Le 28 décembre 2001, il écrivait une autre page d'histoire de sa profession. En effet, ce jour-là, il enregistrait sa 500e victoire en carrière.

Réponse : Patrick Roy, gardien de but.

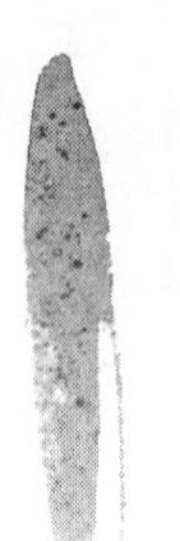

2 La personne et le nombre

- Il y a trois **personnes.** Elles sont exprimées par les pronoms personnels:
  1re personne (la ou les personnes qui parlent) → je (j'), nous
  2e personne (la ou les personnes à qui l'on parle) → tu, vous
  3e personne (la ou les personnes de qui l'on parle) → il, elle, ils, elles

  Exemples: je **dors** (1re personne), tu **dors** (2e personne), il **dort** (3e personne).

- Il y a deux **nombres**:
  au **singulier**, une seule personne fait ou subit l'action;
  au **pluriel**, plusieurs personnes font ou subissent l'action.

  Exemples: **je** dors (singulier), **nous** dormons (pluriel).

Exercice 9 **Reliez les pronoms personnels à leur signification.**

Je cours, **j'**arrive (je, j') •	
Nous courons (nous) •	• La personne de qui l'on parle.
Il court (il) •	• La personne qui parle.
Elles courent (elles) •	• Les personnes à qui l'on parle.
Tu cours (tu) •	• Les personnes qui parlent.
Elle court (elle) •	• Les personnes de qui l'on parle.
Ils courent (ils) •	• La personne à qui l'on parle.
Vous courez (vous) •	

Exercice 10 **Cochez les cases qui conviennent.**

	1re pers.	2e pers.	3e pers.	Singulier	Pluriel
Exemple : Je joue au basket.	X			X	
Tu contrôles bien le jeu.					
Elle tirait au panier.					
Nous miserons sur l'attaque.					
Vous avez dribblé à merveille.					
Ils misent sur la défense.					
Vous marquez trois points.					
Tu triches !					
Nous voudrions revoir le jeu.					
J'aime jouer sous la pression.					
Il commet toujours la même faute.					
L'arbitre exagère.					
Léa et Caro sont les meilleures.					
Notre entraîneur crie un peu fort.					
Sarah donne toujours son « 110 % ».					
Pierre a raté un panier facile.					
Elles ont déclaré forfait.					
Nous vaincrons !					

Exercice 11 **Ajoutez le pronom personnel demandé.**

	1re pers.	2e pers.	3e pers.	Singulier	Pluriel
____ nage le papillon depuis peu.	X			X	
____ dors ou quoi?		X		X	
____ impressionne son entraîneur.			X	X	
____ plongerons du 5 mètres.	X				X
____ me ferez une vrille.		X			X
____ ai perdu la course.	X			X	
____ sont dominants à la brasse.			X		X
____ a fait son pire chrono.			X	X	
____ perdent du temps aux virages.			X		X

Exercice 12 **Remplacez les mots soulignés par le pronom personnel qui convient.**

Elle
Exemple: Une piscine olympique doit mesurer 50 m de longueur et 21 m de largeur.

a) Les piscines olympiques ont toujours huit couloirs.

b) Le crawl vient d'une nage aborigène d'Australie.

c) La nage papillon s'appelle aussi le dauphin.

d) Suzie et toi ferez du plongeon cette année.

e) Mon cousin et moi faisons partie de l'équipe olympique.

f) Adèle et Léa font de la nage synchronisée.

g) Luc et Loïc préfèrent le water-polo.

3 Le mode et le temps

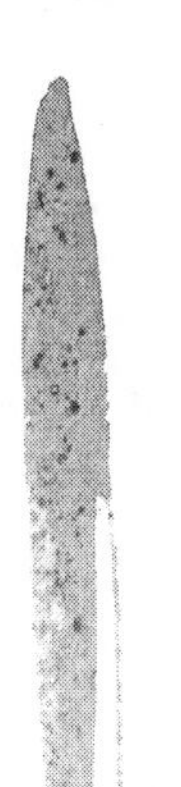

- Il existe trois **modes** de conjugaison :

  L'**indicatif** exprime une action certaine.
  Exemple : Je **pars** d'ici.

  L'**impératif** exprime un ordre ou une demande.
  Exemple : **Pars** d'ici.

  Le **subjonctif** exprime une possibilité, un doute, un souhait.
  Il est toujours précédé de **que**.
  Exemple : Il faut que je **parte** d'ici.

- Il existe des **temps simples** et des **temps composés**.

  Aux temps simples, le verbe est formé d'un seul mot.
  Exemples : j'**oublie**, je **pars**.

  Aux temps composés, le verbe est formé de deux mots :
  l'auxiliaire **avoir** ou **être** et le participe passé.
  Exemples : j'**ai oublié**, je **suis parti**.

Exercice 13 **Entourez le mode de chacun des verbes soulignés.**

a) Je me défends bien grâce à mon crochet du gauche.	Indicatif	Impératif	Subjonctif
b) Il faut que nous boxions samedi.	Indicatif	Impératif	Subjonctif
c) Monte sur le ring, c'est à ton tour.	Indicatif	Impératif	Subjonctif
d) Avant le combat, venez passer votre examen médical.	Indicatif	Impératif	Subjonctif
e) À la boxe, on ne tolère que les coups portés au-dessus de la ceinture.	Indicatif	Impératif	Subjonctif
f) J'ai bien peur qu'il soit K.-O.	Indicatif	Impératif	Subjonctif
g) Il combattra pour le championnat canadien l'an prochain.	Indicatif	Impératif	Subjonctif
h) Son père assistait à tous ses combats.	Indicatif	Impératif	Subjonctif
i) Si j'avais su, je ne serais pas venu.	Indicatif	Impératif	Subjonctif
j) Il l'a mis K.-O. au 3e round.	Indicatif	Impératif	Subjonctif

Exercice 14 **Dans le texte suivant, entourez en bleu les huit verbes conjugués à des temps simples, et entourez en vert les six verbes conjugués à des temps composés.**

« Le magnifique »

Cassius Clay a vu le jour le 17 janvier 1942 aux États-Unis. En 1960, dès l'âge de dix-huit ans, il devient champion olympique des mi-lourds. Quatre ans plus tard, il se convertit à l'islam et prend le nom de Mohammed Ali. La même année, dans un combat mémorable, il ravit la couronne de champion du monde des poids lourds à Sonny Liston. Il la conservera jusqu'en 1967. Cette année-là, les États-Unis étant en guerre contre le Vietnam, Mohammed Ali a perdu son titre parce qu'il avait refusé de faire son service militaire. Il est redevenu champion en 1974 lors d'un combat qui l'opposait à George Foreman, puis, de nouveau, en 1978 contre Leon Spinks. Larry Holmes lui a enlevé le titre en 1980. Mohammed Ali a donné un nouvel élan à la boxe mondiale. Ses trois duels avec Joe Frazier resteront à jamais inscrits dans les mémoires. On le considère comme le plus grand boxeur de tous les temps.

3.1 L'indicatif présent

Les verbes avoir et être à l'indicatif présent et les principales terminaisons de l'indicatif présent

	Singulier			Pluriel		
	1re pers.	**2e pers.**	**3e pers.**	**1re pers.**	**2e pers.**	**3e pers.**
Avoir	j'ai	tu as	il a	nous avons	vous avez	ils ont
Être	je suis	tu es	il est	nous sommes	vous êtes	ils sont
Verbes en **-er** (sauf aller) Ex.: aim**er**	**-e** j'aim**e**	**-es** tu aim**es**	**-e** il aim**e**	**-ons** nous aim**ons**	**-ez** vous aim**ez**	**-ent** ils aim**ent**
Autres verbes Ex.: fin**ir** voul**oir** rend**re**	**-s, -x** je fini**s** je veu**x** je rend**s**	**-s, -x** tu fini**s** tu veu**x** tu rend**s**	**-t, -d** il fini**t** il veu**t** il ren**d**	**-ons** nous finiss**ons** nous voul**ons** nous rend**ons**	**-ez** vous finiss**ez** vous voul**ez** vous rend**ez**	**-ent** ils finiss**ent** ils veul**ent** ils rend**ent**

Exercice 15 **Écrivez le ou les pronoms personnels qui conviennent.**

_______ chante _______ arrives _______ terminons

_______ tombent _______ aimez _______ a

_______ réussis _______ peut _______ est

_______ es _______ apprends _______ rend

Exercice 16 **Complétez par la terminaison de la 1re personne du singulier qui convient (-e, -s ou -x).**

Je détest____ J'oubli____ Je veu____ Je comprend____

Je reçoi____ Je cour____ Je rougi____ J'écri____

J'apprend____ Je peu____ Je fui____ Je met____

Exercice 17 **Complétez par la terminaison de la 2e personne du singulier qui convient (-es, -s, -x).**

Tu chant____ Tu fini____ Tu ski____ Tu comprend____

Tu vien____ Tu peu____ Tu rougi____ Tu reçoi____

Tu cour____ Tu doi____ Tu di____ Tu fai____

Exercice 18 **Complétez par la terminaison de la 3e personne du singulier qui convient (-e, -d ou -t).**

Il march____ Elle vien____ Il compren____ Il fini____

Elle décri____ On per____ Elle me____ On aperçoi____

Il fui____ Elle cour____ On voi____ Il ren____

Exercice 19 **Écrivez les verbes entre parenthèses à l'indicatif présent.**

Tu (sauter) ____________ Nous (comprendre) ____________ Je (rendre) ____________

Il (venir) ____________ Vous (revenir) ____________ Ils (prévenir) ____________

Je (recevoir) ____________ Nous (décevoir) ____________ Ils (apercevoir) ____________

Il (grandir) ____________ Vous (finir) ____________ Il (vouloir) ____________

Exercice 20 **Complétez le texte par les verbes avoir ou être à l'indicatif présent.**
(Pour vous aider à conjuguer, vous trouverez entre crochets le pronom personnel correspondant au sujet de certains verbes.)

Auditifs et visuels

Dans la vie, il y ____________ des auditifs et des visuels comme il y ____________ des gauchers et des droitiers. Ils ____________ leurs propres caractéristiques. Par exemple, le visuel [il] ____________ impulsif; quant à l'auditif, il ____________ plutôt réservé. Entre amis, si nous ____________ visuels, nous ____________ tendance à montrer nos sentiments et à parler fort; si nous ____________ auditifs, nous ____________ enclins à cacher nos sentiments et à ne pas parler. Dans une chicane, si vous ____________ visuel, vous ____________ tendance à pardonner rapidement et à oublier l'objet du conflit; si vous ____________ auditif, vous ____________ enclin à analyser le conflit et à exiger une explication. En athlétisme, si je ____________ visuel, je préfère le 100 mètres; si je ____________ auditif, le marathon [il] ____________ mon premier choix. Pour l'habillement, si tu ____________ visuel, tu ____________ des vêtements à la dernière mode et tes tiroirs [ils] ____________ pleins de linge que tu ne mets plus; si tu ____________ auditif, tu ____________ des vêtements confortables et tes tiroirs [ils] ____________ pleins de pyjamas.

Exercice 21 **Dans le test ci-dessous, écrivez à l'indicatif présent les verbes entre parenthèses.** *(Pour vous aider à conjuguer, vous trouverez entre crochets le pronom personnel correspondant au sujet de certains verbes.)*

Es-tu auditif ou visuel? Es-tu auditive ou visuelle?

1. Ta sœur te [elle] ____________ (faire) un cadeau. Tu ____________ (penser):
   - ✔ Elle ____________ (vouloir) me demander quelque chose.
   - ✘ On ne ____________ (pouvoir) avoir une sœur plus gentille!
2. Ton meilleur ami [il] ____________ (se blesser) au genou en tombant.
   - ✔ Tu ____________ (composer) le 911.
   - ✘ Tu ____________ (chercher) à le réconforter.
3. Tes amis et toi, vous ____________ (parler) au téléphone:
   - ✔ Souvent, mais pas longtemps.
   - ✘ Longtemps, mais pas souvent.
4. Ta meilleure amie [elle] ____________ (revenir) de chez le coiffeur.
   - ✔ Sa nouvelle coiffure te [elle] ____________ (sauter) aux yeux.
   - ✘ Elle ____________ (sembler) avoir quelque chose de différent, mais quoi?
5. À ton avis, quand nous ____________ (rencontrer) une difficulté:
   - ✔ Nous ____________ (devoir) agir pour la surmonter.
   - ✘ Nous ____________ (devoir) réfléchir pour la comprendre.
6. Selon toi:
   - ✔ À tout problème il ____________ (exister) une solution.
   - ✘ Tout problème [il] ____________ (mériter) réflexion.
7. Avant de te coucher, ton père [il] ____________ (annoncer) que vous ____________ (partir) en Australie le lendemain.
   - ✔ Tu ____________ (dormir) aussitôt, car le temps [il] ____________ (passer) plus vite quand on ____________ (dormir).
   - ✘ Tu ne ____________ (dormir) pas de la nuit, car tu ____________ (avoir) trop hâte au lendemain.

8. Tes parents [ils] ____________ (vouloir) acheter un animal,

   ils te ____________ (demander) ton avis.

   ✔ Un chien te [il] ____________ (venir) immédiatement à l'esprit.

   ✘ Tu ____________ (répondre) : « Je ____________ (vouloir) absolument un chat. »

9. Selon toi, quand on ____________ (être) perdu en forêt :

   ✔ Un couteau suisse [il] ____________ (demeurer) l'outil indispensable.

   ✘ Une boussole et une carte [elles] ____________ (demeurer) des instruments essentiels.

10. Ton réveil [il] ne ____________ (sonner) plus. Tu te ____________ (dire) :

   ✔ Je ____________ (courir) en acheter un autre.

   ✘ Je le ____________ (démonter) pour voir ce qui [il] ____________ (clocher).

11. Quand [elle] ____________ (arriver) l'heure de te laver :

   ✔ Tu ____________ (prendre) une douche.

   ✘ Tu te ____________ (faire) couler un bain.

12. Ta devise :

   ✔ L'action [elle] ____________ (faire) la force.

   ✘ De la réflexion [elle] ____________ (jaillir) la lumière.

Résultat

De 9 à 12 ✔ : profil visuel sans nuance.
Une majorité de ✔ : profil plutôt visuel.
De 9 à 12 ✘ : profil auditif sans nuance.
Une majorité de ✘ : profil plutôt auditif.

Exercice 22 **Dans le texte suivant, entourez les dix-huit verbes conjugués à l'indicatif présent.**

L'indicatif présent

Nous le mentionnions plus haut (à la page 17), l'indicatif exprime une action certaine.

1. À l'indicatif présent, comme son nom l'indique, cette action a lieu au présent, au moment où l'on parle. Par exemple, si je vous disais : « Sarah boude dans son coin », Sarah serait, au moment où je vous parle, en train de bouder dans son coin.

2. On utilisera également l'indicatif présent pour parler d'événements qui arrivent souvent. Par exemple, je pourrais vous dire : « Tous les jeudis, Germaine fait du judo. » Germaine n'est pas en train de faire du judo au moment où je vous le dis, mais elle a l'habitude d'en faire régulièrement (tous les jeudis).

3. L'indicatif présent s'emploie aussi pour parler d'événements qui sont toujours vrais. Par exemple, si j'affirme : « La Terre tourne autour du Soleil. » La Terre est en train de tourner au moment où je l'affirme et elle ne s'arrêtera certainement pas.

Exercice 23 **En vous inspirant des exemples ci-dessus, écrivez trois phrases en utilisant des verbes à l'indicatif présent.**

a) Une phrase décrivant une action qui a lieu au moment présent.

____

b) Une phrase décrivant un événement qui arrive souvent.

____

c) Une phrase décrivant un événement qui est toujours vrai.

____

3.2 L'indicatif imparfait

Les verbes avoir et être à l'indicatif imparfait et les terminaisons de l'indicatif imparfait

	Singulier			Pluriel		
	1re pers.	2e pers.	3e pers.	1re pers.	2e pers.	3e pers.
Avoir	j'avais	tu avais	il avait	nous avions	vous aviez	ils avaient
Être	j'étais	tu étais	il était	nous étions	vous étiez	ils étaient
Tous les verbes	**-ais**	**-ais**	**-ait**	**-ions**	**-iez**	**-aient**
Ex. : aim**er**	j'aim**ais**	tu aim**ais**	il aim**ait**	nous aim**ions**	vous aim**iez**	ils aim**aient**
fin**ir**	je finiss**ais**	tu finiss**ais**	il finiss**ait**	nous finiss**ions**	vous finiss**iez**	ils finiss**aient**
voul**oir**	je voul**ais**	tu voul**ais**	il voul**ait**	nous voul**ions**	vous voul**iez**	ils voul**aient**
rend**re**	je rend**ais**	tu rend**ais**	il rend**ait**	nous rend**ions**	vous rend**iez**	ils rend**aient**

Exercice 24 **Écrivez le ou les pronoms personnels qui conviennent.**

________ chantais ________ riions ________ tombaient

________ alliez ________ réussissais ________ pouvait

________ voulaient ________ était ________ étais

________ apprenais ________ mettait ________ rendais

Exercice 25 **Complétez par la terminaison de l'indicatif imparfait qui convient.**

Je détest____ Tu finiss____ Il march____ Nous compren____

Vous oubli____ Elles voul____ Je recev____ Elle cour____

Nous écriv____ Vous pouv____ Tu vend____ Vous ven____

Ils rougiss____ Tu dis____ Je fais____ Nous ski____

Elle rend____ Je mett____ Tu ét____ J'av____

Exercice 26 **Écrivez les verbes entre parenthèses à l'indicatif imparfait.**

Tu (sauter) ____________ Nous (comprendre) ____________ Je (prendre) ____________

Il (venir) ____________ Vous (revenir) ____________ Ils (prévenir) ____________

Je (recevoir)____________ Nous (vouloir) ____________ Vous (rire) ____________

Il (grandir) ____________ Vous (oublier) ____________ Il (mettre) ____________

Exercice 27 **Complétez le texte par les verbes avoir ou être à l'indicatif imparfait.**
(Pour vous aider à conjuguer, vous trouverez entre crochets le pronom personnel correspondant au sujet de certains verbes.)

Énigme nº 1 – Perdu dans une tempête de neige, un alpiniste [il] __________ à bout de forces. Ses paroles [elles] __________ incohérentes: «Nous __________ toujours ensemble. Tu __________ mon meilleur ami. Vous __________ complices. J' __________ confiance en toi. Vous __________ tort...» Il __________ en plein délire.

Il parvint à une vieille cabane de bûcheron. Elle __________ sombre et sinistre. Tour à tour, il regardait son unique allumette, la chandelle et la lampe, qui [elles] __________ posées sur la table, le poêle à bois qui [il] __________ l'air si réconfortant. Que devait-il allumer en premier?

Réponse : l'allumette.

Exercice 28 **Écrivez à l'indicatif imparfait les verbes entre parenthèses.**
(Pour vous aider à conjuguer, vous trouverez entre crochets le pronom personnel correspondant au sujet de certains verbes.)

Énigme nº 2 – Il __________ (faire) nuit depuis longtemps déjà.

Un homme et une femme [ils] __________ (lire) côte à côte. Minuit sonna.

– J' __________ (attendre) cela depuis un bon moment, dit la femme.

– Tu __________ (attendre) quoi? répondit son mari.

– Je __________ (cogner) des clous.
Autrefois, nous nous __________ (coucher) plus tôt.

La femme se leva, ferma les lumières et alla se coucher pendant que son mari [il] __________ (continuer) à lire dans le noir.

Comment est-ce possible?

Réponse : Il était aveugle et lisait en braille.

Exercice 29 **Dans le texte suivant, entourez les douze verbes conjugués à l'indicatif imparfait.**

L'indicatif imparfait

1. À l'indicatif imparfait, l'action a eu lieu dans le passé et elle était permanente. Par exemple, je pourrais dire: «Dans l'Antiquité, les Romains mangeaient avec les mains.» En effet, à cette époque, la fourchette n'existait pas et les gens se servaient toujours de leurs mains pour manger.

2. On utilise aussi l'indicatif imparfait pour parler d'événements qui se déroulaient dans le passé et duraient un certain temps. Par exemple, si je vous disais: «Quand j'étais petit, je me rongeais les ongles», cela voudrait dire que je suis resté petit quelques années et que je me suis rongé les ongles pendant ce temps-là.

3. L'indicatif imparfait s'emploie aussi pour parler d'événements qui se répétaient dans le passé. Par exemple, je pourrais vous dire: «L'année passée, Germaine faisait du judo tous les jeudis.» Cela voudrait dire que Germaine pratiquait le judo régulièrement.

Exercice 30 **En vous inspirant des exemples ci-dessus, écrivez trois phrases en utilisant des verbes à l'indicatif imparfait.**

a) Une phrase décrivant une action permanente dans le passé.

____

b) Une phrase décrivant un événement qui a duré un certain temps dans le passé.

____

c) Une phrase décrivant un événement qui se répétait dans le passé.

____

3.3 L'indicatif futur simple

Les verbes avoir et être à l'indicatif futur simple et les terminaisons de l'indicatif futur simple

	Singulier			Pluriel		
	1re pers.	2e pers.	3e pers.	1re pers.	2e pers.	3e pers.
Avoir	j'aurai	tu auras	il aura	nous aurons	vous aurez	ils auront
Être	je serai	tu seras	il sera	nous serons	vous serez	ils seront
Verbes en **-er** (sauf aller) Ex.: aim**er**	**-erai** j'aim**erai**	**-eras** tu aim**eras**	**-era** il aim**era**	**-erons** nous aim**erons**	**-erez** vous aim**erez**	**-eront** ils aim**eront**
Autres verbes Ex.: fin**ir** voul**oir** rend**re**	**-rai** je fini**rai** je voud**rai** je rend**rai**	**-ras** tu fini**ras** tu voud**ras** tu rend**ras**	**-ra** il fini**ra** il voud**ra** il rend**ra**	**-rons** nous fini**rons** nous voud**rons** nous rend**rons**	**-rez** vous fini**rez** vous voud**rez** vous rend**rez**	**-ront** ils fini**ront** ils voud**ront** ils rend**ront**

Exercice 31 **Écrivez le ou les pronoms personnels qui conviennent.**

_______ chanteras _______ rirons _______ termineront

_______ tomberai _______ irez _______ auront

_______ réussira _______ pourra _______ voudrons

_______ serons _______ sauras _______ aurai

Exercice 32 **Complétez par la terminaison de l'indicatif futur simple qui convient.**

Je détest____ Tu fini____ Il march____ Vous oubli____

Elles voud____ Je recev____ Nous écri____ Vous pour____

Tu vend____ Vous viend____ Ils rougi____ Tu oubli____

Je pour____ Elle rend____ Je mett____ Tu arriv____

Exercice 33 **Écrivez les verbes entre parenthèses à l'indicatif futur simple.**

Tu (sauter) ____________ Nous (comprendre) ____________ Je (finir) ____________

Il (pouvoir) ____________ Vous (oublier) ____________ Ils (venir) ____________

Je (recevoir) ____________ Nous (vouloir) ____________ Vous (rire) ____________

Exercice 34 **Complétez le texte par les verbes avoir ou être à l'indicatif futur simple.**
(Pour vous aider à conjuguer, vous trouverez entre crochets le pronom personnel correspondant au sujet de certains verbes.)

Avertissement de neige abondante

Ce matin, Environnement Canada a émis un avertissement de neige abondante. Dès demain, l'état d'urgence [il] ____________ instauré. Les écoles, les banques et les bureaux gouvernementaux [ils] ____________ fermés. Seules les équipes de déneigement [elles] ____________ l'autorisation de circuler. Vous ____________ avisé de la date à laquelle une équipe [elle] ____________ dans votre secteur. Si vous devez sortir de chez vous, vous ____________ la prudence de vous munir de couvertures, de sucre ou de chocolat, d'un téléphone cellulaire et d'une paire de raquettes. Une escouade de médecins [elle] ____________ constituée. Elle ____________ la charge de sillonner les différents quartiers en motoneige. Je ____________ à mon poste pendant toute la durée de cette tempête du siècle. Ici, nous ____________ en première ligne et nous ____________ accès aux dernières nouvelles. Pour finir, permettez-moi de dire un mot à mon cousin: «Tu ____________ gentil de ne pas mettre toute la maison à l'envers, sinon tu ____________ affaire à moi!»

Exercice 35 **Écrivez à l'indicatif futur simple les verbes entre parenthèses.**
(Pour vous aider à conjuguer, vous trouverez entre crochets le pronom personnel correspondant au sujet de certains verbes.)

Avertissement de pluie intense

Ce matin, Environnement Canada a émis un avertissement de pluie intense. Dès demain, on ______________ (instaurer) l'état d'urgence. Les écoles, les banques et les bureaux gouvernementaux [ils] ______________ (fermer) leur porte. Quand vous ______________ (sortir) de chez vous, vous ______________ (apporter) des serviettes de bain, du sucre ou du chocolat, un téléphone cellulaire et une paire de palmes. Quand le soleil [il] ______________ (se montrer) enfin, nous ______________ (participer) tous au grand nettoyage de la ville. Je ______________ (rester) à mon poste pendant la durée de ce déluge et je vous ______________ (informer) de l'évolution de la situation. Pour finir, je ______________ (dire) un mot à mon cousin: «Tu ne ______________ (déranger) pas toute la maison, sinon tu ______________ (pouvoir) faire ta valise quand je ______________ (revenir)!»

Exercice 36 **Dans le texte suivant, entourez les onze verbes conjugués à l'indicatif futur simple.**

1. Au futur simple, comme son nom l'indique, l'action se situera dans l'avenir. Par exemple, si je vous dis: «Je rangerai ma chambre», cela voudra dire que ma chambre sera en ordre, tout à l'heure, demain, plus tard, mais certainement pas maintenant.

2. On utilisera également le futur simple si l'on veut donner un ordre sans paraître trop autoritaire. Par exemple, si je dis: «Tu feras ta chambre, Léa», j'ai l'air un peu moins autoritaire que si je disais: «Fais ta chambre, Léa.» Le résultat sera peut-être le même, mais Léa, je pense, s'exécutera plus volontiers.

3. Le futur simple s'emploiera aussi pour parler d'une vérité qui se vérifie tant dans le passé et le présent que dans le futur. Par exemple, quand on affirme: «Les enfants aimeront toujours les bonbons», cela signifie que les enfants appréciaient déjà les bonbons il y a cent ans, qu'ils les adorent aujourd'hui et qu'ils en raffoleront encore dans cent ans.

Exercice 37 **En vous inspirant des exemples ci-dessus, écrivez trois phrases en utilisant des verbes à l'indicatif futur simple.**

a) Une phrase décrivant une action qui se situe dans l'avenir.

____

b) Une phrase exprimant un ordre de façon peu autoritaire.

____

c) Une phrase affirmant une vérité qui se vérifie tant dans le passé et le présent que dans le futur.

____

3.4 L'indicatif conditionnel présent

Les verbes avoir et être à l'indicatif conditionnel présent et les terminaisons de l'indicatif conditionnel présent

	Singulier			Pluriel		
	1re pers.	**2e pers.**	**3e pers.**	**1re pers.**	**2e pers.**	**3e pers.**
Avoir	j'aurais	tu aurais	il aurait	nous aurions	vous auriez	ils auraient
Être	je serais	tu serais	il serait	nous serions	vous seriez	ils seraient
Verbes en **-er** (sauf aller) Ex.: aim**er**	**-erais** j'aim**erais**	**-erais** tu aim**erais**	**-erait** il aim**erait**	**-erions** nous aim**erions**	**-eriez** vous aim**eriez**	**-eraient** ils aim**eraient**
Autres verbes Ex.: fin**ir** voul**oir** rend**re**	**-rais** je fini**rais** je voud**rais** je rend**rais**	**-rais** tu fini**rais** tu voud**rais** tu rend**rais**	**-rait** il fini**rait** il voud**rait** il rend**rait**	**-rions** nous fini**rions** nous voud**rions** nous rend**rions**	**-riez** vous fini**riez** vous voud**riez** vous rend**riez**	**-raient** ils fini**raient** ils voud**raient** ils rend**raient**

Exercice 38 **Écrivez le ou les pronoms personnels qui conviennent.**

_______ chanterais   _______ ririons   _______ tomberait

_______ auraient   _______ réussirais   _______ voudrions

_______ serions   _______ crierais   _______ apprendriez

_______ mettraient   _______ saurais   _______ aurais

Exercice 39 **Complétez par la terminaison de l'indicatif conditionnel présent qui convient.**

Je détest _____   Tu fini _____   Il march _____   Elles voud _____

Je recev _____   Elle cour _____   Nous écri _____   Vous pour _____

Tu vend _____   Vous viend _____   Ils rougi _____   Tu oubli _____

Je pour _____   Elle rend _____   Je mett _____   Tu arriv _____

Exercice 40 **Écrivez les verbes entre parenthèses à l'indicatif conditionnel présent.**

Tu (sauter) _______________   Vous (comprendre) _______________   Je (finir) _______________

Il (pouvoir) _______________   Vous (oublier) _______________   Ils (venir) _______________

Je (récevoir) _______________   Nous (vouloir) _______________   Vous (rire) _______________

Exercice 41 **Écrivez à l'indicatif conditionnel présent les verbes entre parenthèses.**

a) Si j'étais un animal, je ____________ (être) un hippopotame.
Je ____________ (passer) mes journées à ne rien faire.

b) Si vous vous appeliez Diotte, ____________ (oser)-vous appeler votre fille Kelly?

c) Si mon pire ennemi était un légume, il ____________ (être) certainement un cornichon.
J' ____________ (avoir) plaisir à le croquer.

d) Si j'avais un conseil à vous donner, je vous ____________ (dire):
«Vous ____________ (devoir) laisser tomber!»

Exercice 42 **Dans le texte suivant, entourez les six verbes conjugués à l'indicatif conditionnel présent.**

Le conditionnel présent

1. Au conditionnel présent, l'action est imaginée, souhaitée ou rêvée. Par exemple, si je disais: «J'aimerais avoir les cheveux blonds frisés», cela voudrait dire que je n'ai pas les cheveux blonds et que j'en formule le souhait.

2. On emploie aussi le conditionnel présent pour parler d'un fait soumis à une condition généralement introduite par si. Par exemple, quand j'affirme: «Si j'étais plus grand, je ferais des ravages au basket», cela signifie que je pourrais être meilleur au basket, à condition d'être plus grand.

3. On utilisera également le conditionnel présent si l'on veut formuler une demande avec politesse. Par exemple, si vous téléphoniez chez Marcelle, il serait plus poli de dire: «Je voudrais parler à Marcelle, s'il vous plaît» que «Je veux parler à Marcelle, s'il vous plaît.»

Exercice 43 **En vous inspirant des exemples ci-dessus, écrivez une phrase en utilisant un verbe à l'indicatif conditionnel présent.**

____

____

3.5 L'indicatif passé composé

Le **passé composé** est un temps composé.
Il est formé de l'auxiliaire **avoir** ou de l'auxiliaire **être** à l'**indicatif présent** et du participe passé du verbe.

Exemples: J'ai oublié. — ai : auxiliaire avoir (au présent) ; oublié : participe passé

Je suis parti. — suis : auxiliaire être (au présent) ; parti : participe passé

Exercice 44 **Tous les verbes ci-dessous se conjuguent aux temps composés avec l'auxiliaire être, excepté un. Entourez-le.**

aller	arriver	devenir	entrer	intervenir	marcher	mourir	naître	partir
repartir	rentrer	rester	retourner	sortir	tomber	venir	revenir	parvenir

Exercice 45 **Ajoutez l'auxiliaire avoir ou l'auxiliaire être.**

Exemples: J'ai dansé. Je suis tombé.

J' ______ aimé   Tu ______ fini   Il ______ voulu   Nous ______ oublié

Vous ______ été   Ils ______ eu   Je ______ parti   Tu ______ sorti

Il ______ venu   Vous ______ restés   Ils ______ rentrés   Nous ______ arrivés

Rappel: La formation du participe passé

Avoir → eu	Être → été	Les terminaisons du participe passé		
		-é	**-i**	**-s -t -u**
j'ai **eu** tu as **eu** il a **eu** nous avons **eu** vous avez **eu** ils ont **eu**	j'ai **été** tu as **été** il a **été** nous avons **été** vous avez **été** ils ont **été**	Les verbes en **-er** (+ le verbe naître) aimer → aim**é** naître → n**é**	La plupart des verbes en **-ir** finir → fin**i**	Les autres verbes prendre → pri**s** écrire → écri**t** vouloir → voul**u**

Exercice 46 **Écrivez l'infinitif des participes passés suivants.**

acheté ____________   demandé ____________   fini ____________

dormi ____________   menti ____________   connu ____________

rendu ____________   battu ____________   venu ____________

reçu ____________ pris ____________ mis ____________

écrit ____________ fait ____________ dit ____________

né ____________ ouvert ____________ couvert ____________

Exercice 47 **Ajoutez le participe passé des verbes entre parenthèses.**

J'ai ____________ (chanter)

Tu as ____________ (pouvoir)

Ils ont ____________ (vouloir)

Je suis ____________ (arriver)

Elles ont ____________ (rendre)

Elles ont ____________ (prendre)

Vous avez ____________ (faire)

Tu as ____________ (ouvrir)

Nous avons ____________ (réussir)

Elle a ____________ (finir)

Tu as ____________ (bouger)

J'ai ____________ (recevoir)

Tu as ____________ (battre)

J'ai ____________ (mettre)

Il a ____________ (dire)

Elle a ____________ (courir)

Rappel: L'accord du participe passé

- Le participe passé employé avec l'auxiliaire **être** prend le genre et le nombre du **sujet** du verbe.
  Exemples: Il est arrivé. Elles sont arrivé**es.**
- Le participe passé employé avec l'auxiliaire **avoir** prend le genre et le nombre du **complément direct** seulement si celui-ci est **placé avant** le verbe.
  Exemples: J'ai trouvé mes bottes. Mes bottes, je **les** ai trouvé**es.**

Exercice 48 **Accordez le participe passé s'il y a lieu.**

Elle est venu_____ .

Nous sommes tombé_____ .

Elles sont resté_____ là-bas.

Elle a compris_____ .

Il a rangé_____ tes affaires.

Il est parti_____ .

Vous êtes rentré_____ à pied.

Ils ont gagné_____ .

Nous avons ouvert_____ .

Tes affaires, il les a rangé_____ .

Exercice 49 **Écrivez les verbes entre parenthèses à l'indicatif passé composé.**
(Pour vous aider à conjuguer, vous trouverez entre crochets le pronom personnel correspondant au sujet de certains verbes.)

Le témoin

Le policier [il] ________________ (faire) entrer la femme dans son bureau.

Il lui ________________ (offrir) un bonbon à la menthe. Elle ________________ (refuser).

– Vous ________________ (avoir) très peur, n'est-ce pas? Alors, racontez-moi tout.

– Mon mari et moi, nous ________________ (être) incapables de le retenir. D'abord, ses petits yeux rouges [ils] ________________ (sembler) nous dire quelque chose.
Il ________________ (saisir) les barreaux de sa cage, il les ________________ (secouer) violemment. Les barreaux [ils] ________________ (casser) comme des cure-dents et il ________________ (partir) en courant.

– Ne vous en faites pas, madame, nous ________________ (apprendre) il y a quelques minutes que les gardiens du zoo [ils] l' ________________ (attraper).

Exercice 50 **Dans le texte suivant, entourez les six verbes conjugués à l'indicatif passé composé.**

Le passé composé

On emploie le passé composé pour parler d'événements qui ont eu lieu dans le passé à un moment précis. Par exemple, si je dis: «Hier, Tim a frappé un circuit», cela veut dire que le circuit a eu lieu hier à un moment précis d'un match de baseball. Au passé composé comme à l'imparfait, l'action se situe donc dans le passé. Mais, au passé composé, l'action dure moins longtemps qu'à l'imparfait et se produit de façon soudaine. Par exemple, si je dis: «Je lisais et le téléphone sonnait», cela voudrait dire que j'ai entendu la sonnerie du téléphone tout au long de ma lecture. Mais si je dis: «Je lisais et le téléphone a sonné», cela veut dire qu'à un moment donné, pendant que j'étais en train de lire, la sonnerie du téléphone a retenti.

Exercice 51 **En vous inspirant des exemples ci-dessus, écrivez une phrase en utilisant un verbe à l'indicatif passé composé.**

____

3.6 L'indicatif plus-que-parfait

Le **plus-que-parfait** est un temps composé.
Il est formé de l'auxiliaire **avoir** ou de l'auxiliaire **être** à l'**indicatif imparfait** et du participe passé du verbe.

Exemples: J'avais oublié. (J'avais : auxiliaire avoir (à l'imparfait) ; oublié : participe passé)
J'étais parti. (J'étais : auxiliaire être (à l'imparfait) ; parti : participe passé)

Les verbes avoir et être à l'indicatif plus-que-parfait						
Avoir	j'avais **eu**	tu avais **eu**	il avait **eu**	nous avions **eu**	vous aviez **eu**	ils avaient **eu**
Être	j'avais **été**	tu avais **été**	il avait **été**	nous avions **été**	vous aviez **été**	ils avaient **été**

Exercice 52 **Écrivez les verbes entre parenthèses à l'indicatif plus-que-parfait. Attention aux accords du participe passé.**

J' ____________ (aimer) Tu ____________ (finir) Il ____________ (vouloir)

Nous ____________ (oublier) Vous ____________ (être) Ils ____________ (avoir)

J' ____________ (partir) Tu ____________ (sortir) Il ____________ (venir)

Vous ____________ (rester) Ils ____________ (rentrer) Nous ____________ (arriver)

Exercice 53 **Dans le texte suivant, entourez les cinq verbes conjugués à l'indicatif plus-que-parfait.**

Le plus-que-parfait

On emploie le plus-que-parfait pour parler d'événements passés qui avaient eu lieu avant d'autres événements situés également dans le passé. Par exemple, si je dis: «Mathilde était partie quand je suis arrivé», cela signifie que le départ de Mathilde avait eu lieu avant mon arrivée. Même si nous l'avions voulu, nous n'aurions pas pu nous rencontrer. Par contre, si j'avais dit: «Mathilde est partie quand je suis arrivé», cela aurait voulu dire que le départ de Mathilde a eu lieu au moment de mon arrivée ou après mon arrivée. Nous aurions donc pu nous rencontrer.

Exercice 54 **En vous inspirant des exemples ci-dessus, écrivez une phrase en utilisant un verbe à l'indicatif plus-que-parfait.**

____

____

3.7 L'impératif présent

Les verbes avoir et être à l'impératif présent et les principales terminaisons de l'impératif présent

	Singulier	Pluriel	
	2e personne	1re personne	2e personne
Avoir	aie	ayons	ayez
Être	sois	soyons	soyez
Verbes en **-er** (sauf aller) Ex.: aim**er**	**-e** aime	**-ons** aim**ons**	**-ez** aim**ez**
Autres verbes Ex.: fin**ir** rend**re**	**-s** finis rends	**-ons** finiss**ons** rend**ons**	**-ez** finiss**ez** rend**ez**

Exercice 55 **Complétez par la terminaison de la 2e personne du singulier qui convient (-e ou -s).**

aim ____ met ____ étudi ____ di ____ comprend ____

vien ____ cour ____ fui ____ écri ____ par ____

Exercice 56 **Écrivez les verbes entre parenthèses aux trois personnes de l'impératif présent.**

(écouter) ____________ ____________ ____________

(rendre) ____________ ____________ ____________

(finir) ____________ ____________ ____________

(revenir) ____________ ____________ ____________

Exercice 57 **On l'a vu (à la page 17), l'impératif exprime un ordre ou une demande. Dans les messages suivants, entourez les sept verbes à l'impératif présent.**

Faites attention à la marche!

Prenez garde au chien!

Attention, chute de neige!

Sauvons notre forêt!

Pas de flânage!

Retirez vos bottes avant d'entrer S.V.P.

Arrêts fréquents!

Ne marchez pas sur le gazon!

Prière de ne pas déranger!

Stationnement interdit.

Sonnez et entrez.

Pas de circulaires!

3.8 Le subjonctif présent

Les verbes avoir et être au subjonctif présent et les terminaisons du subjonctif présent						
	Singulier			Pluriel		
	1re pers.	2e pers.	3e pers.	1re pers.	2e pers.	3e pers.
Avoir	que j'aie	que tu aies	qu'il ait	que nous ayons	que vous ayez	qu'ils aient
Être	que je sois	que tu sois	qu'il soit	que nous soyons	que vous soyez	qu'ils soient
Tous les verbes	**-e**	**-es**	**-e**	**-ions**	**-iez**	**-ent**
Ex. : aim**er**	que j'aim**e**	que tu aim**es**	qu'il aim**e**	que nous aim**ions**	que vous aim**iez**	qu'ils aim**ent**
Ex. : fin**ir**	que je finiss**e**	que tu finiss**es**	qu'il finiss**e**	que nous finiss**ions**	que vous finiss**iez**	qu'ils finiss**ent**
voul**oir**	que je veuill**e**	que tu veuill**es**	qu'il veuill**e**	que nous voul**ions**	que vous voul**iez**	qu'ils veuill**ent**
rend**re**	que je rend**e**	que tu rend**es**	qu'il rend**e**	que nous rend**ions**	que vous rend**iez**	qu'ils rend**ent**

Exercice 58 **Complétez par la terminaison du subjonctif présent qui convient.**

que je détest______ que tu finiss______ qu'il march______ que vous ay______

que vous oubli______ que je reçoiv______ que nous soy______ que nous compren ______

qu'elle cour______ que tu dis ______ qu'elle mett ______ que tu sort ______

Exercice 59 **Écrivez les verbes entre parenthèses au subjonctif présent.**

que tu ____________ (sauter) que nous ____________ (prendre) qu'il ____________ (venir)

que tu ____________ (recevoir) que nous ____________ (vouloir) que je ____________ (mettre)

Exercice 60 **Nous l'avons vu (à la page 17), le subjonctif présent exprime une possibilité, un doute, un souhait. Il est toujours précédé de que. Complétez les phrases en utilisant un des verbes de la liste. Utilisez un verbe différent à chaque phrase.**

revenir *déménager* *finir* *partir* *rester*

a) Il faut que tu ____.

b) Je voudrais que vous ____.

c) Il est possible que je ____.

d) Il va falloir qu'ils ____.

e) Nous exigeons qu'elle ____.

4 Attention!

4.1 L'indicatif passé simple

*Au passé simple, comme au passé composé, l'action a lieu à un moment précis du passé. On emploie le passé simple de moins en moins, si ce n'est à la **3e personne** du singulier ou du pluriel.*

Les verbes avoir et être au passé simple et les terminaisons du passé simple

	Singulier			Pluriel		
	1re pers.	2e pers.	**3e pers.**	1re pers.	2e pers.	**3e pers.**
Avoir	j'eus	tu eus	il **eut**	nous eûmes	vous eûtes	ils **eurent**
Être	je fus	tu fus	il **fut**	nous fûmes	vous fûtes	ils **furent**
Verbes en **-er** Ex.: aim**er**	-ai j'aimai	-as tu aimas	**-a** il **aima**	-âmes nous aimâmes	-âtes vous aimâtes	**-èrent** ils **aimèrent**
Autres verbes Ex.: fin**ir** voul**oir**	-is, -us je finis je voulus	-is, -us tu finis tu voulus	**-it, -ut** il **finit** il **voulut**	-îmes, -ûmes nous finîmes nous voulûmes	-îtes, -ûtes vous finîtes vous voulûtes	**-irent, -urent** ils **finirent** ils **voulurent**

Exercice 61 **Complétez par la terminaison de la 3e personne qui convient (-a, -it, -ut, -èrent, -irent ou -urent).**

Il march_____ Elle reç_____ Il compr_____ Il roug_____

Elles écout_____ Ils aperç_____ Elles pâl_____ Elles cour_____

4.2 Le verbe aller

*Même s'il se termine par **-er**, le verbe **aller** ne suit pas les règles de conjugaison des autres verbes en **-er**, notamment à l'indicatif présent, au futur simple, au conditionnel présent et à l'impératif présent.*

Exercice 62 **Complétez le tableau.**

	Indicatif présent	**Indicatif futur simple**	**Indicatif conditionnel présent**	**Impératif présent**
Aller	je vais tu _____ il va nous allons vous _____ ils vont	j'irai tu iras il _____ nous _____ vous irez ils_____	j' _____ tu irais il irait nous irions vous _____ ils _____	va _____ allez

4.3 Certains verbes terminés par -ir (exemples : ouvrir, cueillir)

*Certains verbes terminés par **-ir** se conjuguent à certains temps comme les verbes terminés par **-er**.*
*Exemples : j'ouvr**e**, je cueill**e**.*

Exercice 63 **Complétez le tableau.**

Indicatif présent	Indicatif futur simple	Indicatif conditionnel présent	Impératif présent
je couvr_____	je cueill_____	je cueill_____	ouvr_____
tu découvr_____	tu accueill_____	tu accueill_____	offr_____
il souffr_____	il recueill_____	il recueill_____	cueill_____

4.4 Les verbes terminés par -ger (exemple : manger)

*Les verbes terminés par **-ger** prennent un **e** devant un **a** ou un **o**.*
*Exemples : je mang**e**ais, nous mang**e**ons.*

Exercice 64 **Complétez le tableau.**

Indicatif présent	Indicatif imparfait	Impératif présent
je mang_____	je voyag _____	
tu nag _____	tu échang _____	plong _____
il dirig _____	il song _____	dégag _____
nous déménag _____	nous arrang _____	oblig _____
vous interrog _____	vous exig _____	
ils partag _____	ils allong _____	

4.5 Les verbes terminés par -cer (exemple : lancer)

*Les verbes terminés par **-cer** prennent une **cédille** sous le **c** devant un **a** ou un **o**.*
*Exemples : je lan**ç**ais, nous lan**ç**ons.*

Exercice 65 **Complétez par c ou ç.**

j'avan___e nous enfon___ons il dépla___ait tu effa___es tu exer___ais

Bilan

Exercice 66 **Complétez par le pronom personnel qui convient (dans certains cas, deux pronoms personnels conviennent). Puis écrivez dans les parenthèses le chiffre correspondant au temps du verbe.**

Indicatif présent (1)
Indicatif imparfait (2)
Indicatif futur simple (3)
Indicatif conditionnel présent (4)
Indicatif passé composé (5)
Indicatif plus-que-parfait (6)
Subjonctif présent (7)
Indicatif passé simple (8)

Exemple : Je, il, elle chante (1)

________ ont gagné ( )
________ tombera ( )
________ comprenons ( )
________ marcha ( )
qu' ________ ait ( )
________ arrives ( )
________ est ( )
________ sautais ( )
________ eut ( )
________ part ( )
________ avancent ( )
________ trouvent ( )
________ réussissais ( )
________ oublie ( )
________ oublierais ( )
________ aurais ( )
________ étais ( )
________ as ( )

________ reçoit ( )
________ êtes nés ( )
________ aviez ( )
que ________ sois ( )
________ skieront ( )
________ voudrais ( )
________ perdaient ( )
________ met ( )
________ a ( )
________ seraient ( )
________ écris ( )
________ voudrions ( )
________ ai été ( )
________ suis parti ( )
________ as eu ( )
________ avait fait ( )
________ rend ( )
________ criez ( )
________ nageons ( )

________ vendiez ( )
________ pourront ( )
________ es ( )
________ vais ( )
________ pouvais ( )
________ seras ( )
________ peux ( )
________ voudrez ( )
que ________ partes ( )
________ finirai ( )
________ dors ( )
________ avais lu ( )
________ rangeait ( )
________ finissent ( )
________ sors ( )
________ monte ( )
________ avez fini ( )
________ serions ( )
________ skiions ( )

La phrase

Qu'est-ce qu'une phrase?

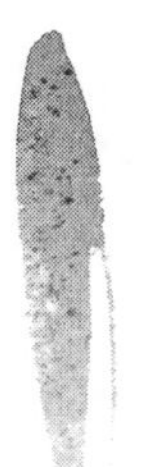

- Une **phrase** est un ensemble de mots qui a un sens.
  Exemple: Le magasin ouvre à midi.
- Une **phrase** commence toujours par une majuscule et se termine par un point, un point d'interrogation ou un point d'exclamation.
  Exemples: **L**e magasin ouvre à midi**.**
  Le magasin ouvre-t-il à midi**?**
  Le magasin ouvre vraiment tard**!**

Exercice 1 **Dans les messages ci-dessous, entourez les dix phrases.**

SILENCE,
ON TOURNE!

IL EST DÉFENDU
DE SE BAIGNER
DANS LE LAC!

ZONE D'HÔPITAL,
VEUILLEZ NE PAS FAIRE DE BRUIT.

Faites attention à la marche!

Bleu, le pas des voitures!

**Il est interdit
de nourrir les animaux.**

Moi fenêtre encore non!

Éteignez vos autobus
dans vos cellulaires!

Vous car ne pas situez-les.

**Le magasin sera fermé
durant tout le week-end.**

Le match commencera à
20h00.

Disponible suis garder
enfants je des pour.

J'ai six chatons à donner.

Cet appareil accepte
les pièces de un dollar.

Après le bip sonore,
dictez votre message.

Les réponses gros marquées!

Exercice 2 **Recopiez les phrases en espaçant les mots.**

a) Attachezvotreceinture!

____

b) Cettevoieestréservéeauxautobus.

____

c) Allumezvosphares dansletunnel.

____

d) Leportdespatinsàrouesalignéesesttolérédanslemagasin.

____

Exercice 3 **Reliez les mots de la colonne de gauche à ceux de la colonne de droite pour former des phrases.**

La vitesse •	• est réservé à notre clientèle.
On signale •	• est glissante sur 5 km.
La chaussée •	• sont tolérés ici.
Le stationnement •	• est limitée à 60 km à l'heure.
Les chiens •	• une congestion sur l'autoroute 40.

Exercice 4 **Dans le texte publicitaire ci-dessous, entourez les phrases.**

Dévalez les pentes sans manquer un seul appel!

Gardez le contact! Combinez votre forfait avec le service «renvoi automatique». Faites suivre tous vos appels de la maison à votre téléphone mobile. Ainsi, vous êtes certain d'être joignable en tout temps, peu importe où vous êtes ou ce que vous faites.

Vous êtes déjà abonné? Profitez-en pour tirer le meilleur parti de votre forfait en vous assurant de ne jamais manquer un appel important!

Pour savoir comment maximiser l'utilisation de votre téléphone mobile à l'aide du service «renvoi automatique», contactez un représentant du service à la clientèle. Cette offre se termine le 31 mars.

D'après une publicité d'une entreprise de services téléphoniques.

Exercice 5 **Il y a sept phrases dans le texte suivant. Séparez-les en mettant les majuscules et les points aux endroits appropriés.**

Le téléphone cellulaire

vous devriez lire les informations suivantes avant d'utiliser votre téléphone mobile
les téléphones mobiles peuvent causer des parasites éteignez votre appareil quand
vous êtes dans un hôpital il est interdit de se servir d'un téléphone cellulaire
dans un avion allumer son téléphone cellulaire près de produits chimiques est
dangereux n'utilisez pas votre téléphone quand vous conduisez un véhicule
un téléphone cellulaire allumé peut nuire à la réception des images d'un téléviseur

Exercice 6 **Remettez les mots dans l'ordre pour former une phrase.**

a) à ouvre cafétéria La 12h00.

____

b) Le une 25 mars journée sera pédagogique.

____

c) disponible suis garder Je des pour enfants.

____

d) Faites la attention à marche!

____

e) au jouer Aimez-vous basket?

____

f) circulation fluide La est.

____

g) casque port du Le obligatoire est.

____

Exercice 7 **Complétez les phrases suivantes par les mots de votre choix pour qu'elles aient un sens.**

a) Les cours de maths ______________________________ .

b) La bibliothèque sera ______________________________ .

c) ______________________________ pendant toute l'année.

d) Éteignez vos ______________________________ avant d'entrer en classe.

Construire une phrase de base

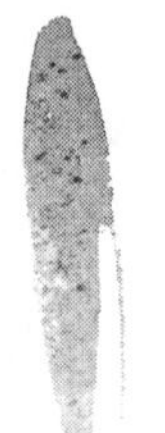

- Une **phrase de base** est formée de deux groupes de mots obligatoires: le **groupe sujet** (GS) et le **groupe verbal** (GV).

  Exemple: Mon frère Simon (GS) répare son moteur (GV).

- Une phrase de base peut aussi contenir un **complément de phrase** (comp. de p.).

  Exemple: Mon frère Simon (GS) répare son moteur (GV) dans le garage (comp. de p.).

1 Le groupe sujet (GS)

Le groupe sujet (GS) est un groupe obligatoire dans une phrase de base.

Qu'est-ce qu'un groupe sujet (GS) ?

- Le **groupe sujet** (GS) est un mot ou un groupe de mots qui répond à la question **Qui est-ce qui?** ou **Qu'est-ce qui?** posée avant le verbe.
- Le groupe sujet (GS) peut être encadré par **c'est... qui** (ou **ce sont... qui**).
  Exemple: Mon frère Simon répare son moteur.
  Qui est-ce qui *répare son moteur?* ***C'est*** *mon frère Simon (GS)* ***qui*** *répare son moteur.*

Un groupe sujet (GS) peut être:

- un groupe nominal (GN). Exemple: **Mon frère** répare son moteur.
- un groupe pronominal (GPron). Exemple: **Il** répare son moteur.
- un groupe infinitif (GInf). Exemple: **Réparer son moteur** détend mon frère.

Exercice 8 **Pour chacune des phrases suivantes, répondez à la question afin de trouver le groupe sujet (GS) du verbe souligné.**

Exemple: Ma voiture a six cylindres.
Qu'est-ce qui a six cylindres? **C'est** ma voiture **qui** a six cylindres.

a) Mon mécanicien recommande une vidange d'huile.

Qui est-ce qui recommande une vidange d'huile?

C'est ______________________ (GS) **qui** recommande une vidange d'huile.

b) Ce carburateur <u>tiendra</u> longtemps.

Qu'est-ce qui tiendra longtemps? **C'est** ____________________ **qui** tiendra longtemps.
(GS)

c) Les enjoliveurs <u>brillent</u>.

Qu'est-ce qui brille? **Ce sont** ____________________ **qui** brillent.
(GS)

d) Samuel <u>conduit</u> trop vite.

Qui est-ce qui conduit trop vite? **C'est** ____________________ **qui** conduit trop vite.
(GS)

e) Nous <u>préférons</u> les motos.

Qui est-ce qui préfère les motos? **C'est** ____________________ **qui** préférons les motos.
(GS)

f) Rouler à gauche <u>est</u> interdit.

Qu'est-ce qui est interdit? **C'est** ____________________ **qui** est interdit.
(GS)

g) Tout <u>baigne</u> dans l'huile.

Qu'est-ce qui baigne dans l'huile? **C'est** ____________________ **qui** baigne dans l'huile.
(GS)

Exercice 9 **Complétez les phrases par le groupe sujet (GS) qui convient.**

Cette voiture – Je – Tourner à droite – L'autoroute

a) ____________________ conduis une voiture rouge.

b) ____________________ est en construction sur 10 km.

c) ____________________ a quatre roues motrices.

d) ____________________ est interdit.

1.1 Le groupe sujet (GS) peut être un groupe nominal (GN)

Qu'est-ce qu'un groupe nominal (GN) ?

Un **groupe nominal** (GN) peut être :

- un **nom** propre.
  Exemple : **Simon**.
- un **nom** accompagné d'un déterminant.
  Exemple : le **camion**.
- un **nom** accompagné d'un déterminant et d'un ou plusieurs adjectifs.
  Exemple : le vieux **camion** rouge.
- un **nom** accompagné d'un déterminant et d'un groupe prépositionnel (GPrép).
  Exemple : le **camion** de mon frère.
- un **nom** accompagné d'un déterminant et d'une subordonnée relative.
  Exemple : le **camion** qui passe.

Exercice 10 **Surlignez en jaune les neuf groupes nominaux (GN).**

cette | la voiture rouge | celui-ci | des ailes aérodynamiques

son père | rouler | tu l'as réparé | un vieux taxi jaune | une moto qui dérape

dépasser | verte | une chaussée mouillée et glissante | Lucie

sept | parfois | cependant | mon cher Pierre | sa roue de secours

Exercice 11 **Entourez les groupes nominaux (GN) des phrases suivantes.**

a) Sarah est mal stationnée.

b) La voiture est mal stationnée.

c) La vieille voiture grise est mal stationnée.

d) La voiture du voisin est mal stationnée.

e) La vieille voiture est mal stationnée.

f) La voiture qui fume est mal stationnée.

g) Mon mécanicien est fiable.

h) Le vieux garagiste du coin bougonne.

i) La portière arrière de sa voiture est coincée.

j) Ce radiateur qui fuit m'inquiète.

k) Nicolas aimerait apprendre à conduire.

l) Le réservoir d'essence est vide.

Exercice 12 **Complétez les phrases par le groupe nominal (GN) demandé.**

a) ______________________ conduit prudemment.
un **nom** propre

b) ________________________________ ronronne agréablement.
un **nom** accompagné d'un déterminant

c) ____ est dans le garage.
un **nom** accompagné d'un déterminant et d'un ou plusieurs adjectifs

d) ____ est en panne.
un **nom** accompagné d'un déterminant et d'un groupe prépositionnel (GPrép)

e) ____ appartient à mon oncle.
un **nom** accompagné d'un déterminant et d'une subordonnée relative

Exercice 13 **Entourez les groupes sujets (GS) du jeu-questionnaire ci-dessous.**

Les voitures (1re partie)

Vrai ou faux?	Vrai	Faux
a) Suzuki est une marque coréenne.	❑	❑
b) Les constructeurs automobiles se trouvent en majorité aux États-Unis.	❑	❑
c) La première voiture a été construite en 1931.	❑	❑
d) La première voiture produite en série s'appelle la Ford T.	❑	❑
e) La compagnie Michelin fabrique des pare-brise.	❑	❑
f) Toutes les voitures roulent à l'essence sans plomb.	❑	❑
g) L'axe qui permet de diriger le véhicule s'appelle la crémaillère.	❑	❑

(2e partie, p. 51)

1.2 Le groupe sujet (GS) peut être un groupe pronominal (GPron)

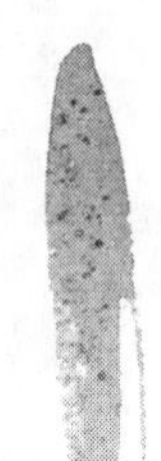

Qu'est-ce qu'un groupe pronominal (GPron) ?

Un **groupe pronominal** (GPron) peut être:

- un **pronom** seul.
  Exemples: **je**, **tu**, **il**... **celui**, **celle**...
- un **pronom** accompagné d'un groupe prépositionnel.
  Exemple: **celui** du garçon...
- un **pronom** accompagné d'une subordonnée relative.
  Exemple: **celui** qui habite en face...

Rappel: Qu'est-ce qu'un pronom ?

Un pronom sert à remplacer un mot ou un groupe de mots. Il prend le genre et le nombre du mot ou du groupe de mots qu'il remplace.

Exemple: Mon chien est beau. **Il** est le plus beau !

On distingue **six catégories** de pronoms.

- Les pronoms personnels: *je, tu, il, elle, nous, vous, ils, elles,* etc.
- Les pronoms possessifs: *le mien, la mienne, les miens, les miennes, le tien, la tienne, les tiens, les tiennes, le sien, la sienne, les siens, les siennes, le nôtre, la nôtre, les nôtres, le vôtre, la vôtre, les vôtres, le leur, la leur, les leurs*
- Les pronoms démonstratifs: *celui, celle, ceux, celles, celui-ci, celle-ci, ceux-ci, celles-ci, celui-là, celle-là, ceux-là, celles-là, ce, c', ceci, cela, ça*
- Les pronoms relatifs: *qui, que, quoi, dont, où, lequel, laquelle, lesquels, lesquelles, auquel, auxquels, auxquelles, duquel, desquels, desquelles,* etc.
- Les pronoms interrogatifs: *qui, que, quoi, lequel, laquelle, lesquels, lesquelles,* etc.
- Les pronoms indéfinis: *aucun, aucune, certains, certaines, chacun, chacune, les uns, les unes, on, personne, plusieurs, quelqu'un, quelques-uns, quelques-unes, rien, tout, tous, toutes,* etc.

Exercice 14 **Surlignez en jaune les neuf groupes pronominaux (GPron).**

ces	aucun	Carl	ceux-ci	celui que j'aime
celle de son père		dépasser	lesquelles	certains de ces pneus
vous	stationner	bleu		une route dangereuse
dix	avant	le mien	je	une auto de course

Exercice 15 **Entourez les groupes pronominaux (GPron) des phrases suivantes.**

a) Celle-ci consomme peu d'essence.

b) Celle du milieu consomme peu d'essence.

c) Celle qui est à gauche consomme peu d'essence.

d) Elles sont à vendre.

e) La sienne fait du 250 km/h.

f) Celui qui conduit est mon frère.

g) Il voudrait acheter une moto.

h) Quelques-uns de mes amis savent conduire.

Exercice 16 **Complétez les phrases par un groupe pronominal (GPron).**

a) ______________________ dépasse tout le monde.
un **pronom** seul

b) ____ est à louer.
un **pronom** accompagné d'un groupe prépositionnel

c) ____ viendra en limousine.
un **pronom** accompagné d'une subordonnée relative

Exercice 17 **Entourez les groupes sujets (GS) du jeu-questionnaire ci-dessous.**

Les voitures (2e partie)

Vrai ou faux?	Vrai	Faux
h) Tu peux obtenir ton permis de conduire une voiture à 13 ans.	❑	❑
i) ABS C'est un dispositif antiblocage des roues.	❑	❑
j) LES AMORTISSEURS Ce sont les pièces cylindriques fixées entre la carrosserie et les trains avant et arrière.	❑	❑
k) LES MOTEURS Ceux de cinquante chevaux sont les plus puissants.	❑	❑

(Résultat p. 52)

1.3 Le groupe sujet (GS) peut être un groupe infinitif (GInf)

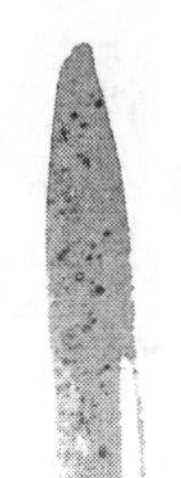

Qu'est-ce qu'un groupe infinitif (GInf) ?

Un **groupe infinitif** (GInf) peut être :

- un **verbe à l'infinitif** seul.
  Exemple : **conduire**.
- un **verbe à l'infinitif** accompagné d'un adverbe.
  Exemple : **conduire** lentement.
- un **verbe à l'infinitif** accompagné d'un groupe nominal.
  Exemple : **conduire** une voiture.
- un **verbe à l'infinitif** accompagné d'un groupe prépositionnel.
  Exemple : **conduire** à gauche.

Exercice 18 **Surlignez en jaune les six groupes infinitifs (GInf).**

les	votre carburateur	il descend l'escalier	allumer les phares
dépasser	nous	rouler à vive allure	respecter les limites de vitesse
ceux-ci	freiner brusquement	bleu	appuyer sur l'accélérateur

Exercice 19 **Entourez les groupes infinitifs (GInf) des phrases suivantes.**

a) Stationner est interdit.

b) Stationner ici est interdit.

c) Stationner sa voiture est interdit.

d) Stationner dans cette rue est interdit.

e) Réparer ce moteur prendra trois heures.

f) Changer les pneus est indispensable.

g) Rouler à gauche est obligatoire en Angleterre.

h) Klaxonner bruyamment est défendu.

Exercice 20 **Entourez les groupes sujets (GS).**

Résultat du jeu-questionnaire des pages 49 et 51

a) Faux (japonaise) b) Vrai c) Faux (en 1886) d) Vrai

e) Faux (Fabriquer des pneus est la spécialité de Michelin.)

f) Faux (Rouler à l'essence sans plomb préserve l'environnement.) g) Vrai

h) Faux (Conduire une voiture est permis à partir de 16 ans.) i) Vrai j) Vrai

k) Faux (Construire des moteurs de plus de cinquante chevaux est aujourd'hui possible.)

2 Le groupe verbal (GV)

Comme le groupe sujet (GS), le groupe verbal (GV) est un groupe obligatoire dans une phrase de base.

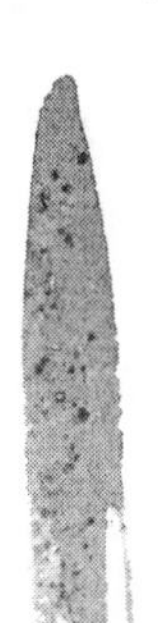

Qu'est-ce qu'un groupe verbal (GV) ?

Un **groupe verbal** (GV) est un verbe conjugué ou un groupe de mots dont le noyau est un **verbe conjugué.**

Un groupe verbal (GV) peut contenir:

- un **verbe conjugué** seul.
  Exemple: J'**écoute.**
- un **verbe conjugué** + un adverbe.
  Exemple: J'**écoute** **attentivement.**
- un **verbe conjugué** + un complément direct.
  Exemple: J'**écoute** **une chanson.**
- un **verbe conjugué** + un complément indirect.
  Exemple: Je **parle** **à mon frère.**
- un **verbe conjugué** + un attribut.
  Exemple: Je **suis** **comédien.**

2.1 Le groupe verbal (GV) peut contenir un verbe conjugué seul

Rappel: Qu'est-ce qu'un verbe conjugué ?

- Un verbe change de forme selon la personne, le nombre, le mode et le temps.
  On appelle **conjugaison** cet ensemble de formes qu'un verbe peut prendre.
  On dit alors qu'il est **conjugué.**
- Il existe des temps simples et des temps composés.
  - Aux temps simples, le verbe est formé d'un seul mot.
    Exemple: il **chante.**
  - Aux temps composés, le verbe est formé de deux mots: l'auxiliaire **avoir** ou **être** et le participe passé.
    Exemples: il **a chanté**, il **est venu.**
- À l'infinitif et au participe passé employé comme adjectif, un verbe **n'est pas conjugué.**

Exercice 21 **Écrivez l'infinitif des verbes conjugués.**

Exemple: nous voulons → **vouloir**

je suis → ________	ils réussissent → ________	tu voyais → ________
il regardait → ________	nous ramerions → ________	nous avons → ________
j'apprends → ________	ils tourneront → ________	vous avez cru → ________

Exercice 22 **Pour chaque verbe à l'infinitif, écrivez une forme conjuguée de votre choix.**

Exemple : suivre → vous **suivez**

rendre → ________	devoir → ________	aller → ________
parfumer → ________	parler → ________	sentir → ________
demeurer → ________	pencher → ________	dire → ________
finir → ________	avoir → ________	être → ________

Exercice 23 **Dans les questions et réponses ci-dessous, les verbes ont été soulignés. Entourez les quinze verbes conjugués.**

A – Question : Je ne suis ni sur la mer ni dans l'espace, mais je navigue. Qui suis-je ?

Réponse : Un internaute.

Ce mot désigne un utilisateur du réseau Internet. Internaute vient des mots Internet et astronaute. Contrairement au mot Internet, il ne s'écrit pas avec une majuscule. On peut également utiliser son synonyme cybernaute, formé à partir des mots cyberespace et astronaute.

B – Question : Comment s'appelle le symbole @, qui figure dans les adresses électroniques ?

Réponse : « a commercial » ou « arobas ».

Les Américains utilisent depuis longtemps ce symbole dans le commerce pour indiquer le prix d'un produit.

Exemple : 2 ordinateurs @ 1 000 $ = 2 000 $.

C'est pourquoi certains nomment ce symbole « a commercial ».

D'autres l'appellent « arobas ». Ce mot viendrait d'une déformation de l'expression employée en imprimerie « a rond bas-de-casse », qui signifie « a minuscule entouré d'un rond ».

D'après *Les Imbattables!* Français – Sciences humaines, Marcel Didier, 2000.

Exercice 24 **Dans la description du site Internet ci-dessous, soulignez les groupes sujets (GS) et entourez les groupes verbaux (GV).**

http://opus100.free.fr/

Un site bourré d'informations sur la musique classique. Les articles et les dossiers abondent.

Les amateurs apprécieront.

Exercice 25 **Complétez la phrase en ajoutant un groupe verbal (GV) contenant un verbe conjugué seul.**

L'écran de mon ordinateur ____.

2.2 Le groupe verbal (GV) peut contenir un verbe conjugué + un adverbe

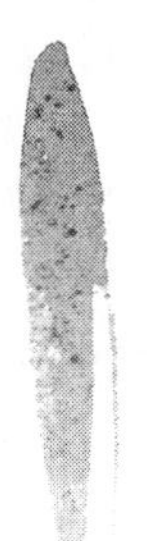

Qu'est-ce qu'un adverbe ?

Un **adverbe** est un mot invariable qui modifie le sens d'un verbe, d'un adjectif ou d'un autre adverbe.
Exemple : Il marche **rapidement.**

Quelques adverbes : bien, mal, très, beaucoup, hier, demain, ici, là-bas...

Remarque : Les adverbes sont souvent formés à partir du féminin d'adjectifs auquel on ajoute **-ment.**
Exemples : lentement, doucement, courageusement, adroitement.

Exercice 26 **Dans les phrases suivantes, soulignez les adverbes et entourez les groupes verbaux (GV).**

a) Jérémie parle doucement.

b) Jérémie parle bruyamment.

c) Agathe et Simon voyagent beaucoup.

d) Le technicien travaillait silencieusement.

e) Ton modem fonctionne lentement.

f) Il proteste énergiquement.

Exercice 27 **Dans la description du site Internet ci-dessous, soulignez les groupes sujets (GS) et entourez les groupes verbaux (GV).**

http:www.ecoutezvous.fr/

Un site sur tous les styles de musique. De nombreuses discographies, des extraits d'albums, des liens. Ce site se renouvelle fréquemment. Les visiteurs apprécieront énormément.

Exercice 28 **Complétez la phrase en ajoutant un groupe verbal (GV) contenant un verbe conjugué + un adverbe.**

Les ordinateurs ____.

2.3 Le groupe verbal (GV) peut contenir un verbe conjugué + un complément direct

Qu'est-ce qu'un complément direct?

- Le **complément direct** complète le sens du verbe. Il est relié **directement** au verbe, sans préposition.
  Exemple: Léa aime **son ordinateur.**
- Pour trouver le complément direct, on pose la question **qui?** ou **quoi?** après le verbe.
  Exemples:

Léa aime son ordinateur.	*Léa aime **quoi?***	***son ordinateur** (complément direct)*
Léa vous aime.	*Léa aime **qui?***	***vous** (complément direct)*
Léa aime consulter Internet.	*Léa aime **quoi?***	***consulter Internet** (complément direct)*

- Le complément direct peut être:

un groupe nominal (GN).	Exemple: Léa aime **son ordinateur.**
un groupe pronominal (GPron).	Exemple: Léa **vous** aime.
un groupe infinitif (GInf).	Exemple: Léa aime **consulter Internet.**

Exercice 29 **Dans les phrases suivantes, soulignez le complément direct et entourez le groupe verbal (GV).**

a) Sam voudrait un ordinateur plus performant.

b) Félix nous aidera.

c) Un virus a infecté mon disque dur.

d) Mon cousin déteste envoyer des courriels.

e) Ce programmeur a trié mes fichiers.

f) Les premiers ordinateurs pesaient une tonne.

g) Ce site Internet m'ennuie.

h) Je devrais vider la corbeille.

Exercice 30 **Dans la description du site Internet ci-dessous, soulignez les groupes sujets (GS) et entourez les groupes verbaux (GV).**

http://www.infinit.com/cinema/

Site très intéressant sur le cinéma. Il présente tous les films. Il offre des dossiers complets. Il contient d'excellentes critiques de films. Les cinéphiles pourront naviguer à cœur joie.

Exercice 31 **Complétez la phrase en ajoutant un groupe verbal (GV) contenant un verbe conjugué + un complément direct.**

Les sites sur le cinéma ______________________________ .

2.4 Le groupe verbal (GV) peut contenir un verbe conjugué + un complément indirect

Qu'est-ce qu'un complément indirect?

- Le **complément indirect** complète le sens du verbe. Il est relié au verbe **indirectement**, souvent par une préposition (à, de...).
  Exemple: Léa parle à **son frère.**
- Il y a deux sortes de compléments indirects:
  1. Ceux qui répondent aux questions **à qui? à quoi? de qui? de quoi?** posées après le verbe.
     Exemple: Léa parle à son frère. *Léa parle **à qui? à son frère*** *(complément indirect)*
  2. Certains compléments qui répondent aux questions **où? quand? comment? pourquoi?** posées après le verbe, qui sont **indispensables** pour que la phrase ait un sens et que l'**on ne peut pas déplacer**.
     Exemple: Léa va **à Québec.** *Léa va **où? à Québec***
     On ne peut pas dire «Léa va» («à Québec» est indispensable).
     On ne peut pas dire «À Québec, Léa va» («à Québec» ne peut pas être déplacé).
- Le complément indirect peut être:
  un groupe prépositionnel (GPrép). Exemple: Léa parle **à son frère.**
  un groupe pronominal (GPron). Exemple: Léa **lui** parle.
  un adverbe. Exemple: Léa habite **ici.**

Exercice 32 **Dans les phrases suivantes, soulignez les compléments indirects et entourez le groupe verbal (GV).**

a) Sébastien parle de ses problèmes informatiques.

b) David va au Brésil.

c) Je téléphonerai à tout le monde.

d) Mon équipe croit à la victoire.

e) Cet informaticien habite à Longueuil.

f) Tous se méfient des virus.

g) Tu penseras à moi.

h) Je lui écrirai.

Exercice 33 **Dans la description du site Internet ci-dessous, soulignez les groupes sujets (GS) et entourez les groupes verbaux (GV).**

http://www.sciencepresse.qc.ca/

Une adresse à conserver en signet. Ce site s'adresse aux amateurs de sciences. Il leur fournira des dossiers scientifiques très complets.

Exercice 34 **Complétez la phrase en ajoutant un groupe verbal (GV) contenant un verbe conjugué + un complément indirect.**

L'un de mes amis ______________________________ .

2.5 Le groupe verbal (GV) peut contenir un verbe conjugué + un attribut du sujet

Qu'est-ce qu'un attribut du sujet?

- L'**attribut** du sujet est un mot ou un groupe de mots relié au groupe sujet (GS) par un verbe attributif (aussi appelé verbe d'état).
  Exemple: Jeanne est **heureuse**.
- L'attribut du sujet peut être:
  un adjectif. Exemple: Jeanne est **heureuse**.
  un groupe nominal (GN). Exemple: Jeanne est **ma meilleure amie**.
  un groupe pronominal (GPron). Exemple: Jeanne est **celle que je préfère**.
  un groupe prépositionnel (GPrép). Exemple: Jeanne est **en forme**.

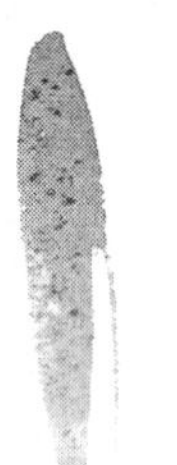

Rappel: Qu'est-ce qu'un verbe attributif?

- Les verbes **attributifs** (aussi appelés verbes d'état) sont employés pour **attribuer** une caractéristique au sujet du verbe.
- Le principal verbe attributif est le verbe **être**.
  Exemple: Jeanne **est** heureuse.
- Les autres principaux verbes attributifs sont: demeurer, devenir, paraître, rester, sembler.
  Exemples: Jeanne **paraît** heureuse. Jeanne **semble** heureuse.

Exercice 35 **Dans les phrases suivantes, soulignez les attributs et entourez le groupe verbal (GV).**

a) La responsable de l'informatique est absente.

b) Ce site est celui que je préfère.

c) Cette adresse électronique semble incomplète.

d) Cet ordinateur portable est le sien.

e) Mon logiciel antivirus devient inefficace.

f) Ce site paraît excellent.

g) Cette page Web est en construction.

h) Consulter Internet demeure mon passe-temps préféré.

Exercice 36 **Dans la description du site Internet ci-dessous, soulignez les groupes sujets (GS) et entourez les groupes verbaux (GV).**

www.cheatcc.com

Pour les amateurs de jeux électroniques, ce site est incontournable. Tous les jeux pour PC et Consol sont répertoriés. Les codes pour progresser dans les jeux sont tous présents. Le site est en anglais, mais il demeure facile à comprendre.

Exercice 37 **Complétez la phrase en ajoutant un groupe verbal (GV) contenant un attribut du sujet.**

Cette machine ______________________________ .

Les compléments de phrase

Une phrase de base peut aussi contenir un complément de phrase, mais celui-ci, contrairement au groupe sujet (GS) et au groupe verbal (GV), n'est pas obligatoire pour que la phrase ait un sens.

Qu'est-ce qu'un complément de phrase?

- Le **complément de phrase** complète le sens de la phrase. Il peut donner des informations sur le temps (quand?), le lieu (où?), la manière (comment?) et le but (pourquoi?).
  Exemples: **La semaine dernière**, j'ai acheté un ordinateur. (le temps)
  Chez moi, j'ai un ordinateur. (le lieu)
  En fouillant dans les poubelles, j'ai trouvé un ordinateur. (la manière)
  Pour être à la mode, j'ai acheté un ordinateur. (le but)
- Le complément de phrase **n'est pas obligatoire**. On peut toujours le **supprimer** et la phrase gardera quand même un sens.
  Exemple: **La semaine dernière**, j'ai acheté un ordinateur. → J'ai acheté un ordinateur.
- Le complément de phrase est **mobile.** On peut toujours le **déplacer** sans changer le sens de la phrase.
  Exemple: **La semaine dernière**, j'ai acheté un ordinateur. → J'ai acheté un ordinateur **la semaine dernière.**
- Le complément de phrase peut être:
  un groupe nominal (GN). Exemple: **La semaine dernière**, j'ai acheté un ordinateur.
  un adverbe. Exemple: **Hier**, j'ai acheté un ordinateur.
  un groupe prépositionnel (GPrép). Exemple: **Chez moi**, j'ai un ordinateur.
- Pour trouver le complément de phrase, on pose **après le groupe verbal (GV)** les questions **où? quand? comment? pourquoi?** Si la réponse peut être **supprimée et déplacée**, c'est un complément de phrase.
  Exemple: J'ai acheté un ordinateur **la semaine dernière.**
  *J'ai acheté un ordinateur **quand? → la semaine dernière.***
  La réponse (la semaine dernière) peut être supprimée et déplacée.

Exercice 38 **Dans les phrases suivantes, entourez les mots ou les groupes de mots soulignés que l'on peut supprimer et déplacer.**

a) Ce site est en construction depuis un an.

b) Dans ma classe d'informatique, tous se méfient des virus.

c) Demain, je téléphonerai à tout le monde.

d) Tu m'enverras un courriel pour me raconter ton voyage.

e) Roger a tout effacé en appuyant sur la mauvaise touche.

f) L'ordinateur s'est éteint en faisant un bruit bizarre.

Exercice 39 **Écrivez au-dessus de chaque groupe de mots soulignés s'il s'agit du groupe sujet (GS), du groupe verbal (GV) ou du complément de phrase (comp. de p.).**

a) Dans quelques jours, je t'enverrai un courriel.

b) Mon disque dur est endommagé depuis trois mois.

c) J' ai acheté cette imprimante dans une vente de garage.

d) Simon téléphone à son cousin pour avoir de bonnes adresses Internet.

e) Sans faire exprès, elle avait effacé tous ses fichiers.

f) Demain, je vais à Québec en voiture.

g) Tu ne trouveras rien en cherchant sur ce site.

Exercice 40 **Dans les descriptions de sites Internet ci-dessous, entourez les compléments de phrase.**

http://saveurs.sympatico.ca/index.htm

Dans ce site consacré à la cuisine, on trouve une foule de renseignements utiles. En quelques clics de souris, on a accès à des recettes, des dossiers ou des chroniques. En visitant ce site, on a l'eau à la bouche.

www.candystand.com/default.htm

Ce site est idéal pour jouer gratuitement à toutes sortes de jeux. Sans avoir besoin de télécharger, on peut jouer au hockey, au billard, au baseball, etc.

Exercice 41 **Complétez la phrase en ajoutant un complément de phrase de votre choix.**

Ma sœur a installé un nouveau logiciel ____________________

____________________ .

Les quatre types de phrases

Quand **on déclare** quelque chose, quand **on pose** une **question**, quand **on donne** un **ordre** ou quand **on s'exclame** (de surprise, de colère, de joie, etc.), on utilise des types de phrases différents.

Exemples: Il prend mes écouteurs. *(On déclare quelque chose.)*
Prend-il mes écouteurs? *(On pose une question.)*
Prends mes écouteurs. *(On donne un ordre.)*
Maman, il prend mes écouteurs! *(On s'exclame de surprise ou de colère.)*

1 La phrase déclarative

- Une **phrase déclarative** permet de dire, de raconter, de déclarer quelque chose. Elle sert à communiquer une information ou à donner une opinion.
  Exemple: J'ai trouvé mes écouteurs sous mon lit.
- Une **phrase déclarative** se termine par un point (•).

Exercice 42 **Cochez les six phrases déclaratives.**

La Formule 1

- ❑ Un Grand Prix de F1 dure deux heures.
- ❑ Dix-sept Grands Prix de F1 existent dans le monde.
- ❑ En 1909, Victor Hémery dépassa 200 km/h.
- ❑ Combien y a-t-il de Grands Prix de F1 dans le monde?
- ❑ Ralentissez, danger!
- ❑ Depuis 1997, les voitures sont équipées d'une «boîte noire».
- ❑ L'équipe de ravitaillement effectue son travail en sept secondes, à peine!
- ❑ Un moteur de F1 peut atteindre une vitesse de 1 200 km/h.
- ❑ Le circuit du Grand Prix du Canada est à Montréal.

Exercice 43 **Dans les phrases déclaratives suivantes, écrivez au-dessus de chaque groupe de mots encadré s'il s'agit du groupe sujet (GS), du groupe verbal (GV) ou du complément de phrase (comp. de p.).**

Exemple : [comp. de p.] En 1909, [GS] Victor Hémery [GV] conduisait une voiture Benz.

a) Les combinaisons des pilotes de F1 | peuvent résister à une flamme de 800 °C | pendant douze secondes !

b) Les boîtes noires des voitures | enregistrent les données d'un accident.

c) Michael Schumacher | est né en 1969.

d) Le Circuit Gilles-Villeneuve | mesure 4 kilomètres.

Exercice 44 **Dans les phrases déclaratives suivantes, encadrez en vert le groupe sujet (GS), encadrez en bleu le groupe verbal (GV) et encadrez en jaune le complément de phrase s'il y a lieu.**

a) Dans un Grand Prix de F1, les mécaniciens sont indispensables.

b) En 1894, la première course automobile a provoqué un enthousiasme délirant.

c) Le circuit du Grand Prix de Belgique mesure 7 kilomètres.

d) Mika Häkkinen est né en 1968.

2 La phrase interrogative

2.1 Identifier une phrase interrogative

- Une **phrase interrogative** permet de poser une question.
  Exemple : Veux-tu mes écouteurs ?
- Une **phrase interrogative** se termine par un point d'interrogation (**?**).

Exercice 45 **Soulignez en bleu les six phrases interrogatives du texte suivant.**

Une légende de la F1

Connais-tu Gilles Villeneuve ? Quel sport pratiquait-il ? Comment s'appelle son fils ? Si tu es Québécois, tu connais probablement les réponses à toutes ces questions. Gilles Villeneuve appartient à la légende de la course automobile. Il est le père de Jacques Villeneuve, lui aussi coureur automobile. Tu sais probablement que Gilles Villeneuve est né au Québec. Mais sais-tu dans quelle ville du Québec ? Et sais-tu en quelle année ? Avant de faire des courses automobiles, Gilles Villeneuve était déjà connu au Québec, mais dans une autre discipline. Quelle était cette discipline ?
Gilles Villeneuve est né à Berthierville, près de Trois-Rivières, en 1950. Il s'est d'abord fait remarquer dans les courses de motoneiges. Il avait d'ailleurs la réputation d'être un casse-cou. Gilles Villeneuve est mort dans un accident de F1 lors des qualifications du Grand Prix de Belgique, en 1982.

2.2 Construire une phrase interrogative

Pour construire une phrase interrogative, on peut:

- ajouter au début de la phrase l'expression «Est-ce que».
  Exemple: Roger veut mes écouteurs. ➔ **Est-ce que** Roger veut mes écouteurs?
- placer le pronom personnel sujet après le verbe (avec un trait d'union).
  Exemple: Il veut mes écouteurs. ➔ Veut-**il** mes écouteurs?
  (**Attention!** Quand le verbe se termine par une voyelle, il faut ajouter un **t**: Aim**e**-**t**-il la musique?)
- ajouter après le verbe un pronom personnel (avec un trait d'union) qui reprend le groupe sujet.
  Exemple: Roger veut mes écouteurs. ➔ Roger veut-**il** mes écouteurs?
- ajouter au début de la phrase un mot interrogatif (pourquoi, quand, comment, où, etc.).
  Exemple: **Pourquoi** Roger veut-**il** mes écouteurs?

Exercice 46 **Sans ajouter de mots, transformez les phrases déclaratives suivantes en phrases interrogatives.**

Exemple: Tu regardes le Grand Prix de Trois-Rivières.
Regardes-tu le Grand Prix de Trois-Rivières?

a) Vous participerez au Grand Prix de Melbourne, en Australie.

____

b) Nous sommes près du paddock.

____

c) Il prend la tête du peloton dès le premier tour.

____

d) Il montera sur le podium.

____

e) Vous faites partie de la même écurie.

____

f) Il oublie les conseils de son mécanicien.

____

Exercice 47 **Transformez les phrases déclaratives suivantes en phrases interrogatives en ajoutant les mots interrogatifs demandés.**

Exemple : (Quand) Roger vient à la maison. ➔ **Quand** Roger vient-**il** à la maison?

a) (Est-ce que) David Coulthard appartient à l'écurie Williams-BMW.

____

b) (Pourquoi) Il freine brusquement.

____

c) (Quand) La course commence.

____

d) (Où) Les voitures prennent le départ.

____

Exercice 48 **Pour chacune des réponses ci-dessous, écrivez une question qui porte sur les mots soulignés.**

Exemple : Roger va à la pêche. ➔ **Où** va Roger?

a) La voiture de Jacques Villeneuve est au stand de ravitaillement.

____

b) La course se termine bientôt.

____

c) Il abandonne la course parce qu'il a des problèmes de moteur.

____

d) Le circuit du Grand Prix du Brésil est situé à Sao Paolo.

____

e) Il freine pour éviter un accident fatal.

____

3 La phrase exclamative

- Une **phrase exclamative** permet d'exprimer une émotion vive : la surprise, la colère, la joie, la peur, l'admiration, etc.
  Exemple : C'est incroyable !
- Une **phrase exclamative** se termine par un point d'exclamation (**!**).

Exercice 49 **Surlignez en jaune les sept phrases exclamatives.**

« Jacques, ce n'est pas un deux de pique ! » Ce sont les mots de la presse québécoise pour qualifier la performance de Jacques Villeneuve, lors du premier Grand Prix dans lequel il a couru.

Cela se passait à Melbourne, en Australie, en 1996. Pour la plupart des commentateurs, ce fut une course mémorable ! Jacques Villeneuve monta sur la deuxième marche du podium derrière Damon Hill.

D'abord, ce n'était que la quatrième fois dans l'histoire de la F1 qu'un pilote débutant partait en position de tête. Il avait, la veille, fait une course de qualification à vous couper le souffle ! Était-ce possible ? Ce fut extraordinaire ! Il n'avait commis aucune faute et signé le meilleur temps de la piste. « Moi, je n'avais pas l'impression d'aller vite ! » dira Jacques Villeneuve après son essai. Ses coéquipiers n'en revenaient tout simplement pas ! Comme son père aurait été fier !

Exercice 50 **Ajoutez un point d'exclamation ou un point d'interrogation aux phrases ci-dessous.**

a) Y a-t-il des blessés

b) C'est un miracle

c) Pour quelle écurie Ralph Schumacher court-il

d) La voiture quitte la piste, quelle horreur

e) Cette courbe m'a donné la chair de poule

f) Combien de centièmes de seconde séparent les deux coureurs

4 La phrase impérative

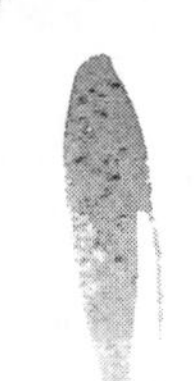

- Une **phrase impérative** sert à donner un ordre, un conseil, une interdiction.
  Exemple : À vos marques, prêts, partez!
- Une **phrase impérative** peut se terminer par un point (.) ou un point d'exclamation (!).
- Pour construire une **phrase impérative**, on met le verbe au **mode impératif**.
  Exemple : Vous partez. → **Partez!**

Exercice 51 **Souligne en bleu les sept phrases impératives.**

Pendant une course, différents drapeaux sont présentés aux pilotes. Voici leurs significations.

Drapeau à damier :	La course est terminée.
Drapeau noir et blanc :	Ceci est un avertissement. Votre conduite est anti-sportive. Ne recommencez pas!
Drapeau noir :	Rejoignez votre stand immédiatement!
Drapeau blanc :	Un véhicule de service circule sur la piste. Ne le dépassez pas. Gardez votre position.
Drapeau noir avec cercle orange :	Ralentissez et retournez à votre stand. Votre voiture est peut-être endommagée.
Drapeau jaune :	Danger! Réduisez votre vitesse.
Drapeau bleu :	Une voiture s'apprête à vous doubler.
Drapeau rouge :	La course est interrompue.
Drapeau à bandes rouges et jaunes :	De l'huile ou de l'eau a été répandue sur la piste. Soyez prudent!

Les deux formes de phrases

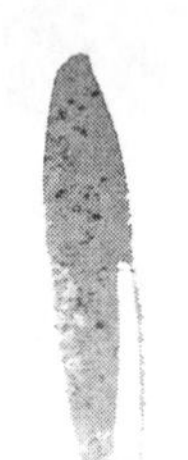

Une phrase peut avoir deux formes : **positive** ou **négative**.

- La **forme positive** indique qu'un événement **a lieu**, que l'on **affirme** un fait ou que l'on **partage** l'avis de quelqu'un.
  Exemple : Je pars en voyage.
- La **forme négative** indique qu'un événement **n'a pas lieu**, que l'on **nie** un fait ou que l'on **ne partage pas** l'avis de quelqu'un.
  Exemple : Je **ne** pars **pas** en voyage.

1 La forme positive

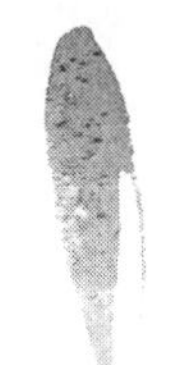

Les quatre types de phrases peuvent être à la **forme positive**.

Exemples : Je pars en voyage. *(Déclarative positive)*
Pourquoi vient-il ? *(Interrogative positive)*
Mais tu es coupable ! *(Exclamative positive)*
Retourne chez toi. *(Impérative positive)*

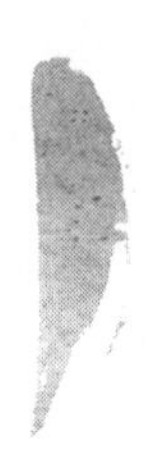

Exercice 52 **Dans le texte suivant, soulignez en vert les phrases à la forme positive.**

– Quel est votre nom ? On a trouvé des objets volés chez vous. Comment expliquez-vous cela ?

– Je ne dirai pas un mot. Je veux voir un avocat.

– Ne jouez pas au plus fin avec moi ! On vous a pris la main dans le sac. Un avocat ne changera rien à cela.

– Ce n'est pas vrai ! Ce n'est pas moi le coupable. Je n'ai rien fait ! Ramenez-moi chez moi immédiatement !

– Nous aussi, on voudrait bien rentrer chez nous. Avouez donc tout de suite. On pourra tous rentrer plus vite.

– Je n'avouerai jamais !

La forme négative

- Les quatre types de phrases peuvent être à la **forme négative**.

  Exemples: Je ne pars pas en voyage. *(Déclarative négative)*
  Pourquoi ne vient-il pas? *(Interrogative négative)*
  Mais tu n'es pas coupable! *(Exclamative négative)*
  Ne retourne pas chez toi. *(Impérative négative)*

- Pour construire une phrase négative, on encadre le verbe par des mots tels que: **ne... pas**, **ne... jamais**, **ne... plus**, etc.
  Exemples: Je **ne** pars **pas** en voyage. Je **ne** pars **jamais** en voyage.

Attention!

- Quand le verbe est conjugué à un temps composé, on encadre l'auxiliaire par la négation.
  Exemple: Il a arrêté le coupable. ➔ Il **n'**a **pas** arrêté le coupable.
- Quand le verbe est précédé d'un pronom complément, la négation se place avant ce pronom.
  Exemple: Le commissaire vous parle. ➔ Le commissaire **ne** vous parle **pas**.

Exercice 53 **Dans l'exercice 52 (à la page précédente), soulignez en bleu les phrases à la forme négative.**

Exercice 54 **Rayez ne... pas, n'... pas, ne... plus et ne... jamais afin de transformer les phrases négatives en phrases positives.**

a) Je ne comprends pas ce que vous voulez dire.

b) Vous n'êtes pas très coopératif.

c) Je ne peux plus vous faire confiance.

d) Ne répétez jamais cela à mes collègues.

e) Je ne répondrai pas à vos questions.

f) Tu ne vas pas le dénoncer.

Exercice 55 **Mettez les phrases négatives suivantes au passé composé.**

Exemple: Je ne réussis pas. ➔ Je n'ai pas réussi.

a) Il ne parle pas. ➔ ____________________

b) Vous n'avouez pas. ➔ ____________________

c) Nous ne regrettons rien. ➔ ____________________

d) Tu ne garderas pas le silence. ➔ ____________________

e) Elsa ne sait pas y faire. ➔ ____________________

f) L'inspecteur ne comprend rien. ➔ ____________________

Exercice 56 **Transformez les phrases suivantes à la forme négative en ajoutant les mots entre parenthèses.**

Exemple : (ne… pas) Je vous crois. ➔ Je **ne** vous crois **pas**.

a) (ne… jamais) Cet homme ment.

____

b) (ne… pas) Fouillez cette pièce!

____

c) (n'… jamais) Oubliez ce que je viens de dire.

____

d) (n'… pas) Il a reconnu ses torts.

____

e) (ne… plus) L'inspecteur le regardait d'un air menaçant.

____

Exercice 57 **Réécrivez les phrases suivantes correctement.**

a) Me racontez pas d'histoires!

____

b) Il a rien compris!

____

c) C'est jamais de ta faute.

____

Bilan

Exercice 58 **Lisez les phrases du test (ci-dessous et à la page suivante), puis répondez aux questions grammaticales.**

Le code de la route

1re partie	Vrai	Faux
A – La ligne blanche pointillée permet le dépassement.	❑	❑
B – Sur les autoroutes, les véhicules circulent lentement.	❑	❑
C – Devant un feu de circulation orange, les automobilistes accélèrent.	❑	❑
D – La vitesse est limitée à 120 km/h sur les autoroutes.	❑	❑
E – À la vitesse de 90 km/h, une voiture franchit 30 mètres en une seconde.	❑	❑
F – Freiner demande une distance de 100 mètres sur une chaussée mouillée.	❑	❑
G – La ligne blanche continue nous autorise le dépassement.	❑	❑
H – L'interdiction de stationner devant les bornes fontaines s'adresse aux piétons.	❑	❑
I – Dans les rues à sens unique, dépasser à gauche est défendu.	❑	❑

Dans les phrases ci-dessus :

a) Quelles phrases ont un groupe verbal (GV) comprenant un complément direct? ____________

b) Quelles phrases ont un groupe verbal (GV) comprenant un complément indirect? ____________

c) Quelles phrases ont un groupe verbal (GV) comprenant un attribut? ____________

d) Quelles phrases contiennent un complément de phrase? ____________

e) Quelles phrases ont un groupe sujet (GS) constitué d'un groupe nominal? ____________

f) Y a-t-il une phrase dont le groupe sujet (GS) soit constitué d'un pronom? ____________

g) Quelles phrases ont un groupe sujet (GS) constitué d'un verbe à l'infinitif? ____________

h) Quelles phrases ont un complément de phrase placé à la fin? ____________

i) Quelle phrase a un groupe verbal (GV) comprenant un adverbe? ____________

2e partie

	Vrai	Faux
J – On a pas le droit d'allumer ses phares dans un tunnel.	❑	❑
K – Sur les autoroutes, les voitures peuvent rouler à moins de 60 km/h.	❑	❑

	Oui	Non
L – Un automobiliste peut il installer un détecteur de radar sur sa voiture?	❑	❑
M – Une flèche horizontale dans un rectangle noir indique elle un sens unique?	❑	❑
N – Peut-on dépasser un autobus scolaire quand ses feux arrière clignotent?	❑	❑

O – Que signifie le panneau rouge en forme de triangle?

❑ Cédez le passage. ❑ Ne cédez pas le passage.

P – Que signifie le panneau contenant une flèche pointée vers le haut à l'intérieur d'un cercle vert?

❑ Tournez à droite. ❑ Allez tout droit.

Dans les phrases ci-dessus:

a) Corrige les fautes dans les phrases J, L et M.

b) Dans la phrase K, souligne en vert le groupe sujet (GS), souligne en bleu le groupe verbal (GV) et entoure le complément de phrase.

c) La phrase K est-elle déclarative, interrogative, exclamative ou impérative? ______________

d) Surligne en rose les phrases impératives.

e) Y a-t-il une phrase exclamative? Si oui, laquelle? ______________

f) Surligne en jaune les phrases interrogatives.

g) Souligne en bleu les phrases négatives.

Résultat:
A: Vrai. B: Faux. C: Faux. D: Faux. E: Faux. F: Vrai. G: Faux. H: Faux. I: Faux. J: Faux. K: Faux.
L: Non. M: Oui. N: Non. O: Cédez le passage. P: Allez tout droit.

Les pronoms

Qu'est-ce qu'un pronom ?

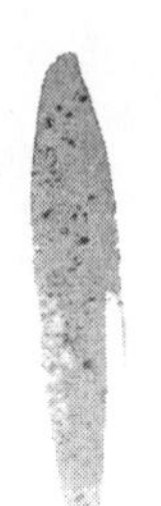

- Un pronom est un mot qui, en général, remplace un mot ou un groupe de mots.
  Ce mot ou ce groupe de mots s'appelle **antécédent**.
- Les pronoms servent ainsi à éviter les répétitions.
- Les pronoms prennent le genre et le nombre du mot ou du groupe de mots qu'ils remplacent.

  Exemple: Mon chien est beau. **Il** est le plus beau!
  *(Le pronom **Il** remplace les mots **mon chien**.)*

1 Les principaux pronoms

Les pronoms personnels	je, tu, il, elle, nous, vous, ils, elles, me, te, le, la, l', les, se, s', en, y, moi, toi, soi, lui, eux, leur
Les pronoms possessifs	le mien, la mienne, les miens, les miennes, le tien, la tienne, les tiens, les tiennes, le sien, la sienne, les siens, les siennes, le nôtre, la nôtre, les nôtres, le vôtre, la vôtre, les vôtres, le leur, la leur, les leurs
Les pronoms relatifs	qui, que, qu', quoi, dont, où, lequel, laquelle, lesquels, lesquelles, auquel, auxquels, auxquelles, duquel, desquels, desquelles, etc.
Les pronoms démonstratifs	celui, celle, ceux, celles, celui-ci, celle-ci, ceux-ci, celles-ci, celui-là, celle-là, ceux-là, celles-là, ce, c', ceci, cela, ça
Les pronoms interrogatifs	qui, que, quoi, lequel, laquelle, lesquels, lesquelles, etc.
Les pronoms indéfinis	aucun, aucune, certains, certaines, chacun, chacune, l'autre, les autres, l'un, l'une, les uns, les unes, nul, nulle, on, personne, plusieurs, quelqu'un, quelques-uns, quelques-unes, rien, tout, tous, toutes, etc.

Exercice 1 **Dans les phrases ci-dessous, remplacez les mots soulignés par un des pronoms de la liste.**

ils – celui-ci – eux – ils – elle – Celles-ci – Ils – le – la – lui – les – elle – la – lui – elle – il – celui-ci – lui – celle-ci

a) À la naissance, les yeux des loups sont bleus, les yeux des loups deviennent jaunes une quinzaine de jours plus tard.

À la naissance, les yeux des loups sont bleus, ________ deviennent jaunes une quinzaine de jours plus tard.

b) La louve protège bien ses louveteaux et la louve peut se montrer très féroce.

La louve protège bien ses louveteaux et ________ peut se montrer très féroce.

c) Les loups sont très expressifs, la communication entre les loups se fait par toutes sortes de mimiques.

Les loups sont très expressifs, la communication entre ________ se fait par toutes sortes de mimiques.

d) Les loups possèdent quatre canines. Ces quatre canines peuvent mesurer cinq centimètres.

Les loups possèdent quatre canines. ________ peuvent mesurer cinq centimètres.

e) Chaque bande de loups occupe un territoire bien délimité. L'étendue de ce territoire dépend du gibier disponible.

Chaque bande de loups occupe un territoire bien délimité. L'étendue de ________ dépend du gibier disponible.

f) Le chef de la meute doit protéger la meute contre d'éventuels agresseurs.

Le chef de la meute doit ________ protéger contre d'éventuels agresseurs.

g) Les loups d'une meute se soumettent à l'autorité du chef. Les loups expriment au chef leur soumission par une attitude caractéristique : pattes pliées, oreilles rabattues, queue baissée.

Les loups d'une meute se soumettent à l'autorité du chef. ________ ________ expriment leur soumission par une attitude caractéristique : pattes pliées, oreilles rabattues, queue baissée.

h) Une meute de loups compte en moyenne une dizaine d'individus, mais une meute de loups peut en compter jusqu'à trente.

Une meute de loups compte en moyenne une dizaine d'individus, mais ________ peut en compter jusqu'à trente.

i) Les louveteaux restent avec la meute jusqu'à ce que les louveteaux soient en âge de quitter la meute, vers deux ou trois ans.

Les louveteaux restent avec la meute jusqu'à ce qu' ________ soient en âge de ________ quitter, vers deux ou trois ans.

j) Les loups sont très présents dans la littérature. Jean de La Fontaine a beaucoup mis en scène les loups.

Les loups sont très présents dans la littérature. Jean de La Fontaine ________ a beaucoup mis en scène.

k) Dans une fable, un loup rencontre un agneau en train de boire à l'eau d'un ruisseau. Le loup accuse cet agneau de troubler son breuvage et mange l'agneau.

Dans une fable, un loup rencontre un agneau en train de boire à l'eau d'un ruisseau. ________ accuse ________ de troubler son breuvage et ________ mange.

l) Dans une autre fable, un loup a un petit os coincé dans le gosier. Près du loup passe une cigogne. Le loup fait signe à la cigogne. Cette cigogne accourt et la cigogne retire l'os.

Dans une autre fable, un loup a un petit os coincé dans le gosier. Près de ________ passe une cigogne. Le loup ________ fait signe. ________ accourt et ________ retire l'os.

Exercice 2 **Dans le texte ci-dessous, les pronoms sont en gras. Lisez le texte, puis écrivez pour chaque groupe du nom, le ou les pronoms utilisés pour en parler.**

La naissance de Rome

Voilà bien longtemps, environ 800 ans avant Jésus-Christ, naissent deux jumeaux appelés Remus et Romulus. **Ils** sont les fils d'un dieu et d'une princesse. À leur naissance, le cruel prince Amulius ordonne que les enfants soient tués parce qu'**il** craint que **ceux-ci** prennent sa place sur le trône. Le serviteur chargé de cette triste besogne emmène les nourrissons sur la rive d'un fleuve, le Tibre, dans une région infestée de loups. **Il** pense que les enfants seront vite dévorés. Or, une louve **les** découvre. Au lieu de se précipiter sur **eux** pour **en** faire son repas, **elle les** allaite comme s'**ils** étaient ses propres louveteaux.

Quelque temps plus tard, un couple de bergers trouve les jumeaux et **il les** adopte.

Devenus adultes, Remus et Romulus décident de retourner sur la rive du fleuve **où ils** ont été abandonnés et d'**y** fonder une ville **qui** est aujourd'hui la capitale de l'Italie.

Remus et Romulus : ______________________________

____

____

Amulius : ________

Une louve : ________

Le serviteur : ________

Un couple de bergers : ________

La rive du fleuve : ________

Une ville : ________

Exercice 3 **Dans le texte ci-dessous, les pronoms ont été soulignés. Entourez les mots qu'ils remplacent et reliez-les par une flèche aux pronoms.**

Le loup et le chien

Peu de différences existent entre le loup et certains chiens, le berger allemand surtout. Le regard du loup est impressionnant et révèle sa véritable nature. Quand un loup fixe un être humain, celui-ci n'oublie pas de sitôt son œil dur et perçant. Selon la croyance populaire, lorsqu'un loup a posé les yeux sur sa proie, celle-ci perd toute possibilité de bouger et même de crier. Chez le chien, ce magnétisme du regard n'existe plus.

Les loups, contrairement aux chiens, mangent gloutonnement. Quand le gardien du zoo lance sa ration au loup, celui-ci n'en fait qu'une bouchée. Le chien, lui, devant sa pâtée, la renifle, la lèche, bref, il la savoure un peu plus longtemps.

Les louveteaux aboient comme des chiots. Cependant, quand ils atteignent l'âge adulte, ils n'aboient plus, ils hurlent. Si des chasseurs blessent des loups, ceux-ci grognent, au lieu d'émettre des sons plaintifs comme font les chiens.

Les autres différences se rapportent à la couleur, à la taille des oreilles et à la forme du museau.

Exercice 4 **Choisissez dans les parenthèses le pronom qui sert à ne pas répéter les mots soulignés.**

La vie dans une meute

Dans une meute, la vie sociale est très hiérarchisée.

Chaque loup a sa place et (il/elle) ________ doit

(le/la) ________ garder. Le mâle le plus fort est

le chef de la meute. (Il/Elle) ________ est appelé

le «loup alpha». Vient ensuite le «loup bêta».

(Il/Elle) ________ est moins fort mais très vigoureux.

Son rôle est de remplacer le loup alpha si

(celui-ci/celle-ci) ________ se blesse ou meurt.

Au dernier échelon, vient le «loup oméga».

(Il/Elle) ________ est le souffre-douleur

de tous les autres loups de la meute. (Ceux-ci/Celles-ci) ________

peuvent (le/la) ________ mordre, (lui/leur) ________ enlever

sa nourriture, bref, (lui/leur) ________ faire endurer les pires

misères. Le chef choisit une femelle tout aussi vigoureuse

que (lui/elle) ________ . Ce couple formera le «couple alpha» et (il/elle) ________

sera le seul couple à avoir des petits. Les autres membres de la meute,

quant à (eux/elles) ________ , devront prendre soin des louveteaux nés de cette union.

2 Les pronoms sans antécédent

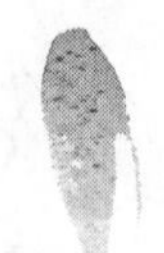

Parfois, un pronom ne remplace pas un mot ou un groupe de mots.
On dit alors qu'il n'a pas d'antécédent.

Exemple : **Je** suis malade, **il** pleut et **tout** va mal!
*(Les pronoms **Je**, **il** et **tout** n'ont pas d'antécédent.)*

Exercice 5 **Dans le texte ci-dessous, les pronoms ont été soulignés. Entourez en bleu ceux qui ont un antécédent et entourez en vert ceux qui n'en ont pas.**

Le loup-garou

Il existe un mythe étrange à propos des loups, celui des loups-garous. La croyance en ces créatures extraordinaires remonte à la naissance de l'humanité. On la rencontre dans beaucoup de légendes chez de nombreux peuples, elle est toujours liée à l'influence du mal.

Le loup-garou est un homme transformé en loup, soit par ses propres forces, soit parce qu'on lui a jeté un sort. Les nuits de pleine lune, il erre dans les campagnes à la recherche de chair humaine. Il a toutes les caractéristiques de la bête, mais d'anciens récits nous apprennent qu'il garde son regard humain et sa voix. Dès le lever du soleil, il reprend sa forme humaine. Certains racontent cependant qu'il conserve des traits inquiétants. Ses sourcils sont très épais et ils sont réunis au-dessus du nez. Ses oreilles sont situées vers l'arrière de la tête et elles sont légèrement pointues. Ses mains et ses pieds sont velus.

Toutes les traditions nous rapportent qu'il n'est pas facile d'échapper à un loup-garou quand celui-ci est à nos trousses. D'abord, il faut porter sur soi un trèfle à quatre feuilles. Ensuite, on doit lui tirer une balle de fusil, mais pas n'importe laquelle. Celle-ci doit absolument être en argent et elle doit avoir été bénie dans une chapelle consacrée à saint Hubert, le patron des chasseurs.

Les catégories de pronoms

1 Les pronoms personnels

- Les pronoms personnels peuvent **remplacer** un mot ou un groupe de mots.
  Exemple : Mon chien a les yeux fermés, **il** dort. *(**il** remplace **Mon chien**.)*
- Les pronoms personnels peuvent **représenter** les personnes **qui** parlent, **à qui** l'on parle et **de qui** l'on parle.
  Exemples : **Je** dors. *(**Je** représente la personne qui parle.)*
  Tu dors. *(**Tu** représente la personne à qui l'on parle.)*
  Il dort. *(**Il** représente la personne de qui l'on parle.)*
- Les pronoms personnels prennent le genre et le nombre du mot ou du groupe de mots qu'ils remplacent ou qu'ils représentent.
  Exemple : Mon chien a les yeux fermés, **il** dort.
  *(**il** est masculin singulier parce qu'il remplace **Mon chien**, masculin singulier.)*
- Les pronoms personnels peuvent être :
  - **groupes sujets (GS).** Exemple : **Il** regarde. *(**Il** est le GS du verbe **regarder**.)*
  - **compléments du verbe.** Exemple : Gaston **me** regarde. *(**me** est complément du verbe.)*

Les pronoms personnels

Le nombre	La personne	Groupe sujet (GS)			Complément du verbe		
		Masc.	**Fém.**	**Masc. ou fém.**	**Masc.**	**Fém.**	**Masc. ou fém.**
Singulier	**1re personne** (la personne qui parle)			je (j')			me (m'), moi
	2e personne (la personne à qui l'on parle)			tu			te (t'), toi
	3e personne (la personne de qui l'on parle)	il	elle		le (l')	elle, la (l')	lui, se (s'), soi, en, y
Pluriel	**1re personne** (les personnes qui parlent)			nous			nous
	2e personne (les personnes à qui l'on parle)			vous			vous
	3e personne (les personnes de qui l'on parle)	ils	elles		eux	elles	les, leur, se (s') en, y

Exercice 6 **Remplacez les mots entre parenthèses par le pronom personnel qui convient.**

Connais-tu la bande dessinée?

(Coche la bonne réponse.)

	Vrai	Faux
Exemple : a) (Garfield) __Il__ déteste manger et dormir.	❑	❑
b) (Mafalda) ________ est européenne.	❑	❑
c) (Uderzo et Goscinny) ________ ont créé Astérix.	❑	❑
d) (Milou et moi) ________ sommes les héros de Lucky Luke.	❑	❑
e) (Les héroïnes des *Femmes en blanc*) ________ sont des médecins.	❑	❑
f) (Les frères Dalton) ________ sont des détectives privés.	❑	❑
g) (Spirou et toi) ________ êtes les héros de *Cédric*.	❑	❑
h) Le chat Azraël vit auprès de (Gargamel) ________ .	❑	❑
i) Charlie Brown est amoureux d'(une petite fille rousse) ________ .	❑	❑
j) Les paparazzis ne se déplacent jamais sans (leurs appareils photo)________ .	❑	❑
k) (Moi, Gaston Lagaffe) ________ suis le roi des gaffeurs.	❑	❑
l) (Toi, Jolly Jumper) ________ es le chien de Lucky Luke.	❑	❑
m) (Boule, Bill et toi) ________ êtes des personnages créés par Hergé.	❑	❑

Réponses :
a) faux ; b) faux ; c) vrai ; d) faux ; e) faux ; f) faux ; g) faux ; h) vrai ; i) vrai ; j) vrai ; k) vrai ; l) faux ; m) faux.

Exercice 7 **Écrivez dans les parenthèses le mot ou le groupe de mots remplacés par le pronom personnel souligné.**

a) Gargamel, obsédé par les Schtroumpfs, leur tend toujours des pièges. ( )

b) Iznogoud est grand vizir, il veut être calife à la place du calife. ( )

c) Milou, fidèle compagnon de Tintin, occupe la première place auprès de lui. ( )

d) Linus adore sa couverture, il la traîne partout. ( )

e) Spip, l'écureuil apprivoisé de Spirou, ne le quitte jamais. ( )

f) Quand Obélix a faim, il lui faut du sanglier rôti. ( )

g) Le capitaine Haddock habite à Moulinsart, le professeur Tournesol y habite aussi. ( )

Exercice 8 **Reliez les pronoms personnels à leur signification.**

Je saute, **j'**accours (je, j') •	• La personne de qui l'on parle.
Nous sautons (nous) •	• La personne qui parle.
Il saute (il) •	• Les personnes à qui l'on parle.
Elles sautent (elles) •	• Les personnes de qui l'on parle.
Tu sautes (tu) •	• Les personnes qui parlent.
Elle saute (elle) •	• La personne à qui l'on parle.
Ils sautent (ils) •	
Vous sautez (vous) •	

Exercice 9 **Dans les citations suivantes, soulignez les pronoms personnels, puis cochez les cases qui conviennent.**

	1re pers.	2e pers.	3e pers.	Masc.	Fém.	Masc. ou fém.	Sing.	Plur.
Exemple: Ah! Parce que c'est à toi ce chien!? Bravo! *(L'agent 212, Cuisses de Poulet)*		X				X	X	
Sapristi! Mais si j'interromps mon expérience, je vais rater ma transmutation, moi!... *(Le sortilège de Maltrochu)*								
Allons, allons, tu vas tout de même pas te laisser abattre... *(Terrain minets)*								
Aïe Aïe Aïe! Dans quelle chambre était-il déjà, celui-là? *(Les Femmes en Blanc, Superpiquées)*								
Eh bien, voilà... Nous venions de prendre de l'essence et nous roulions tranquillement lorsque... *(Tintin au pays de l'or noir)*								
Ils sont fous ces Romains! *(Astérix le Gaulois)*								
Auriez-vous un problème de chameau? *(Yoko Tsuno, La pagode des brumes)*								
Une lampe qui a éclaté!!... Mais d'où a-t-elle bien pu dégringoler?!... *(L'affaire Tournesol)*								

Exercice 10 **Complétez les citations en ajoutant le pronom personnel demandé.**

	1re pers.	2e pers.	3e pers.	Masc.	Fém.	Masc. ou fém.	Sing.	Plur.
Relâche ta prisonnière! Ça peut ______ faire gagner du temps. *(Buck Danny, La Nuit du Serpent)*	X					X		X
C'est l'automne… c'est le moment de l'année où ______ me pose des questions. *(Boule et Bill, Faut rigoler!)*	X					X	X	
C'est quoi que ______ as mis comme pommade à Bill? *(Boule et Bill, Faut rigoler!)*		X				X	X	
Nous allons nous schtroumpfer parmi les humains, et écouter ce qu' ______ racontent! *(Le schtroumpfeur de bijoux)*			X	X				X
______ chantez, ______ aussi? *(Les lauriers de César)*		X				X		X
Un sabre… ______ me faut un sabre! *(Kogaratsu, La stratégie des phalènes)*			X	X			X	
Ah! Bonjour, ben voilà. ______ suis bloqué au fond d'une oubliette… dans le jeu «Donjon lugubre»… *(Kid Paddle, Jeux de vilains)*	X					X	X	
Évitez de respirer cette fumée, ______ est peut-être empoisonnée! *(Yoko Tsuno, La pagode des brumes)*			X		X		X	

1.1 Les pronoms personnels, groupes sujets (GS) ou compléments du verbe

Rappel : Qu'est-ce qu'un groupe sujet (GS) ?

- Un groupe sujet (GS) est un mot ou un groupe de mots qui répond à la question **Qui est-ce qui ?** ou **Qu'est-ce qui ?** posée avant le verbe.
  Exemple : **Il** court. *(Qui est-ce qui court ? **Il**)*
- Un groupe sujet (GS) est généralement placé avant le verbe, mais il peut aussi être placé après le verbe.
  Exemple : Court-**il** ?

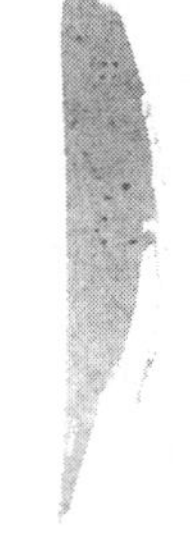

Rappel : Qu'est-ce qu'un complément du verbe ?

Il y a deux sortes de compléments du verbe :

- Le **complément direct**,
  mot ou groupe de mots qui répond à la question **qui ?** ou **quoi ?** posée après le verbe.
  Exemple : Joseph **le** regarde. *(Joseph regarde qui ? **le**)*
- Le **complément indirect**,
  - mot ou groupe de mots qui répond à la question **à qui ? à quoi ? de qui ?** ou **de quoi ?** posée après le verbe.
    Exemple : Joseph **lui** parle. *(Joseph parle à qui ? à **lui**)*
  - mot ou groupe de mots qui répond à la question **où ? quand ? comment ?** ou **pourquoi ?** posée après le verbe et que l'on ne peut ni supprimer ni déplacer.
    Exemple : Joseph va à Québec, Léa **y** va aussi. *(**y** ne peut être ni supprimé ni déplacé.)*

Le pronom personnel complément du verbe est généralement placé avant le verbe, mais il peut aussi être placé après le verbe. Exemple : Joseph parle de **lui**.

Exercice 11 **Dans le texte ci-dessous, entourez les pronoms personnels qui sont groupes sujets (GS).**

Qui sont ces personnages ?

a) Nous sommes deux policiers maladroits. Nous portons des chapeaux melon et des complets vestons noirs. On pense que nous sommes jumeaux, mais, par la forme de nos moustaches, nous sommes distincts. (Les Dupond(t))

b) Je suis un petit chien blanc. Mon maître est gros, il a toujours un petit creux et il raffole du sanglier rôti. (Idefix)

c) Si vous me rencontrez, attention à vous ! Il peut vous arriver malheur ! Je suis le plus grand gaffeur de tous les temps. (Gaston Lagaffe)

d) Savais-tu que ce cow-boy tire plus vite que son ombre ? (Lucky Luke)

Exercice 12 **Dans le texte ci-dessous, entourez les pronoms personnels qui sont compléments du verbe.**

Qui sont ces personnages? (suite)

e) C'est un grand savant, mais quand on lui parle, il entend tout de travers. *(Le professeur Tournesol)*

f) Ils sont quatre frères malcommodes et Lucky Luke court toujours après eux. *(Les Dalton)*

g) Nous sommes des petits lutins bleus, un sorcier nous aime beaucoup… en purée. *(Les Schtroumpfs)*

h) J'habite Vivejoie-la-Grande en France. Je possède une force surhumaine, mais quand j'attrape un rhume, je la perds. *(Benoît Brisefer)*

Exercice 13 **Entourez en bleu les pronoms personnels qui sont groupes sujets (GS) et entourez en vert les pronoms personnels qui sont compléments du verbe.**

Qui sont ces personnages? (suite)

i) Si vous voulez le satisfaire, offrez-lui un jeu vidéo. *(Kid Paddle)*

j) Je suis un as de l'aviation. On peut me confier n'importe quelle mission. *(Buck Danny)*

k) Je suis le chien de la prison. Mon flair n'est pas fameux. Donnez-moi un os, je vous suivrai partout. *(Rantanplan)*

l) Il est le druide d'un village de Gaulois. Il a inventé une potion qui les rend invincibles. *(Panoramix)*

m) Il est capitaine au long cours. Ses injures l'ont rendu célèbre. Boire de l'eau le rend malade. *(Le capitaine Haddock)*

Exercice 14 **Décrivez un personnage de bande dessinée de votre choix en employant au moins deux pronoms personnels qui sont groupes sujets (GS) et un pronom personnel qui est complément du verbe.**

____

____

____

Exercice 15 **Compétez le texte par les pronoms personnels qui conviennent.**

Petit glossaire illustré de la bande dessinée

A. Si la bulle est reliée au personnage par des petits ronds, cela veut dire qu' _______ est en train de penser.

B. Plus le personnage parle bas, plus les lettres sont petites. Plus _______ parle fort, plus _______ sont grosses.

C. Un point d'exclamation suffira à exprimer la surprise d'un personnage. Pour que _______ comprenions qu' _______ s'interroge, un point d'interrogation fera l'affaire. Quant au silence, _______ est illustré par des points de suspension.

D. Les gouttes autour de la tête d'un personnage expriment son émotion, mais _____ peuvent également signifier qu' _____ a très chaud.

E. Si ________ voulez qu'un personnage ait l'air étourdi, dessinez- ________ un ressort au-dessus de la tête.

F. Le mouvement est représenté par des lignes. Plus ________ sont courtes, plus le mouvement est saccadé.

G. Les étoiles montrent qu'un personnage a reçu un coup. Le dessinateur ________ place généralement autour de l'impact.

H. Pour exprimer la colère d'un personnage, le dessinateur ________ entoure la tête de nuages noirs.

1.2 Distinguer la (pronom personnel ou déterminant), l'a (pronom personnel + verbe avoir) et là (adverbe)

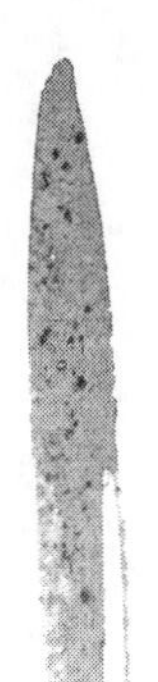

- Si **la** est placé devant un verbe, c'est un pronom personnel.
  Il fait partie du groupe verbal.
  Exemple: Max range sa chambre. → Max **la** range.
- Si **la** est placé devant un nom, c'est un déterminant.
  Il fait partie du groupe nominal.
  Exemple: **La** chambre.
- **L'a** (ou **l'as**) est le pronom personnel **l'** suivi de l'auxiliaire **avoir** à la 3e personne du singulier de l'indicatif présent (ou à la 2e personne du singulier).
  Pour le reconnaître, on remplace **l'a** (l'as) par **l'avait** (l'avais).
  Exemples: Sa chambre, Max **l'a** rangée. → Max **l'avait** rangée.
  Ta chambre, tu **l'as** rangée. → Tu **l'avais** rangée.
- **Là** (avec un accent) est un adverbe, il indique le **lieu**.
  Pour le reconnaître, on le remplace par **ici**.
  Exemple: Max n'est pas **là**. → Max n'est pas **ici**.

Exercice 16 **Complétez le texte par l'a, l'as, là ou la.**

a) Ne ______ touchez pas, elle s'est blessée ______ , près de l'épaule, quand ______ jument qu'elle montait ______ désarçonnée.

b) Yoko ______ remarqué, il est ______ , appuyé à ______ porte du cinéma depuis ______ fin de la matinée.

c) Prends- ______ donc, ______ dernière part de pizza, tu ______ bien méritée. Si tu ______ laisses ______ , les mouettes ______ mangeront.

Exercice 17 **Quatre fautes se sont glissées dans les phrases suivantes. Corrigez-les.**

L'a femme marchait lentement sur la ligne blanche au milieu de là route. Dès que Joe l'a aperçue, il la interpellée et lui a demandé ce qu'elle faisait la, seule, dans la nuit.

1.3 Distinguer **leur** (pronom personnel) et **leur** (déterminant possessif)

- Si **leur** est placé devant un verbe, c'est un pronom personnel.
  Il fait partie du groupe verbal. Il reste invariable.
  Exemples : Max apprend à parler à ses perroquets.
  Max **leur** apprend à parler.
- Si **leur** est placé devant un nom, c'est un déterminant possessif.
  Il fait partie du groupe nominal. Il se met au pluriel si le nom qu'il accompagne est au pluriel.
  Exemples : **Leur** perroquet s'appelle Gérard.
  Leurs perroquets s'appellent Gérard et Jérôme.

Truc : Si l'on peut remplacer **leur** par **lui**, il s'agit du pronom.
Exemples : Max **leur** apprend à parler
Max **lui** apprend à parler.

Exercice 18 **Complétez le texte par leur (pronom personnel) ou leur (déterminant). N'oubliez pas d'accorder leur quand il s'agit du déterminant.**

a) Ne ______ raconte pas nos mésaventures, nous ______ en parlerons nous-mêmes.

b) Veux-tu ______ dire où tu as mis ______ affaires ?

c) Yann et Ludovic ont échangé ______ casquettes.

d) Ne ______ ouvre surtout pas, ______ têtes ne me reviennent pas.

e) Ils ont perdu ______ deux chiens, ils offrent une récompense à celui qui les ______ rapportera.

f) ______ mauvaise réputation ______ joue des tours.

Exercice 19 **Deux fautes se sont glissées dans les phrases suivantes. Corrigez-les.**

Ne leur demandez pas de vous inviter chez eux : leur maison craque de partout, leur télévision ne capte qu'une chaîne, leur chaises sont défoncées, leur réfrigérateur fait un bruit d'enfer, leur calorifères coulent, rien ne fonctionne. Mais si vous êtes bricoleur, vous pourriez leur rendre service en leur faisant une petite visite.

Exercice 20 **Écrivez une phrase en utilisant le pronom personnel leur et le déterminant possessif leur.**

____

____

2 Les pronoms possessifs

- Les pronoms possessifs remplacent un mot ou un groupe de mots.
  Exemple : C'est **mon chien** ➔ C'est **le mien.** *(**le mien** remplace **mon chien.**)*
- Les pronoms possessifs indiquent **à qui appartient** l'être ou l'objet dont on parle.
  Exemples : Ce pantalon est **le mien.** ➔ Ce pantalon m'appartient, **à moi.**
  Ce pantalon est **le tien.** ➔ Ce pantalon t'appartient, **à toi.**
- Les pronoms possessifs prennent le genre et le nombre du mot ou du groupe de mots qu'ils remplacent.
  Exemples : mon pantalon ➔ le mien
  (masculin singulier) ➔ (masculin singulier)
  mes chaussures ➔ les miennes
  (féminin pluriel) ➔ (féminin pluriel)
- Les pronoms possessifs peuvent être **groupes sujets (GS)**, **compléments du verbe** ou **attributs du sujet.**
  Exemples : Ta montre retarde, **la mienne** avance.
  *(**la mienne** est le GS du verbe **avancer.**)*
  Ta montre retarde, prends **la mienne.**
  *(**la mienne** est complément du verbe **prendre.**)*
  Cette montre est **la mienne.**
  *(**la mienne** est attribut du sujet **Cette montre.**)*

	Les pronoms possessifs			
À qui appartient ce dont on parle	**Singulier**		**Pluriel**	
	Masculin	**Féminin**	**Masculin**	**Féminin**
à moi (mon, ma, mes)	le mien	la mienne	les miens	les miennes
à toi (ton, ta, tes)	le tien	la tienne	les tiens	les tiennes
à lui, à elle (son, sa, ses)	le sien	la sienne	les siens	les siennes
à nous (notre, nos)	le nôtre	la nôtre	les nôtres	
à vous (votre, vos)	le vôtre	la vôtre	les vôtres	
à eux, à elles (leur, leurs)	le leur	la leur	les leurs	

Exercice 21 **Remplacez chaque groupe nominal par le pronom possessif qui convient.**

Exemple : mon pantalon ➔ le mien

ma veste	______	ta veste	______	sa veste	______
votre veste	______	notre veste	______	leur veste	______
mes vestes	______	tes vestes	______	ses vestes	______
vos vestes	______	nos vestes	______	leurs vestes	______
mes foulards	______	leur voiture	______	son chandail	______
nos bracelets	______	vos montres	______	ton collier	______

Exercice 22 **Complétez les phrases en utilisant le pronom possessif qui convient.**

Exemple : Ton pantalon est déchiré, prends **mon pantalon**.
Ton pantalon est déchiré, prends **le mien**.

a) Ma montre avance de cinq minutes, ta montre retarde de cinq minutes.

Ma montre avance de cinq minutes, ______ retarde de cinq minutes.

b) Son chandail est plus chaud que vos chandails.

Son chandail est plus chaud que ______ .

c) Notre boutique est immense, leur boutique est minuscule.

Notre boutique est immense, ______ est minuscule.

Exercice 23 **Remplacez les mots soulignés par le pronom possessif qui convient.**

Exemple : Ce pantalon est à moi.	Ce pantalon est **le mien**.
a) Ces bottes sont à elle.	Ces bottes sont ______ .
b) Cette tunique est à toi.	Cette tunique est ______ .
c) Ce parapluie est à vous.	Ce parapluie est ______ .
d) Ces patins sont à nous.	Ces patins sont ______ .
e) Ces blousons sont à eux.	Ces blousons sont ______ .
f) Ce magasin est à elles.	Ce magasin est ______ .

Exercice 24 **Dans le test ci-dessous, remplacez les mots entre parenthèses par le pronom possessif qui convient.**

Es-tu une personne égoïste ou généreuse?

A. Pendant le cours de maths, ta voisine te demande de lui prêter un crayon parce qu'elle a cassé (son crayon) __________ .

▲ Tu lui prêtes (ton crayon) __________ .

▼ Ce n'est pas ton problème, c'est (son problème) __________ .

◆ Comme tu n'as pas de règle, tu lui demandes (sa règle) __________ en échange.

B. Un ami te raconte ses malheurs. Tu penses:

▼ J'ai assez à faire avec (mes malheurs) __________ .

◆ (Mes malheurs) __________ sont bien plus graves que (ses malheurs) __________ .

▲ Je vais lui raconter (mes malheurs) __________ . Les malheurs des autres nous font oublier (nos malheurs) __________ .

C. À la sortie de l'école, tu achètes du chocolat et tes amis t'en réclament. Tu leur dis:

▲ Ce chocolat est (notre chocolat) __________ , servez-vous!

▼ C'est (mon chocolat) __________ , achetez (votre chocolat) __________ vous-mêmes!

◆ Je donnerai du chocolat seulement à ceux qui m'ont déjà offert (leur chocolat) __________ .

D. Tu parles au téléphone dans une cabine depuis vingt minutes. Une dame attend depuis au moins cinq minutes que tu lui cèdes la place.

◆ Tu dis à la dame: «J'ai attendu mon tour assez longtemps, vous pouvez attendre (votre tour) __________ encore trente secondes.»

▲ Tu dis à ton correspondant: «Il faut que je laisse ma place, une dame attend (sa place) __________ depuis un bon moment.»

▼ Tu dis à la dame: «Trouvez un autre téléphone, cette cabine est (ma cabine) __________ .»

E. Tu es assis dans un autobus bondé et un vieux monsieur portant une casquette monte. Il marche avec difficulté et n'a pas de place où s'asseoir.

◆ Tu lui laisserais bien (ta place) __________ , mais comme tu descends dans deux arrêts, cela ne vaut pas la peine.

▲ Tu lui dis: «Vous n'avez pas de place, prenez (ma place) __________ .»

▼ Tu penses que ce monsieur a une casquette moins belle que (ta casquette) __________ .

F. Tes parents veulent sortir ce soir. Ils te demandent de garder ton petit frère alors que tu avais prévu une soirée au cinéma.

▼ Tu refuses. S'ils veulent sortir, ce n'est pas ton problème, c'est (leur problème) __________ . Ils n'ont qu'à appeler une gardienne.

◆ Tu acceptes en bougonnant. Ils vont passer une bonne soirée, et (ta soirée) __________ sera nulle.

▲ Ta soirée est à l'eau, mais ça ne fait rien. Tu espères que (leur soirée) __________ sera réussie.

G. Tu es invité à souper chez un ami. Sa mère a préparé un plat que tu détestes.

▲ Tu regardes les autres finir leur assiette et tu termines (ton assiette) __________ en faisant semblant de rien.

◆ Tu t'empiffres de pain en faisant semblant de manger ce que tu as dans ton assiette. Tu attends que les autres aient fini (leur assiette) __________ et tu déclares: «Je n'ai pas très faim.»

▼ Tu regardes ton assiette avec dégoût. Tu attends que ton ami ait fini (son assiette) __________ et tu lui dis: «Tu veux (mon assiette) __________ ? Je déteste ça!»

Résultat du test:

Si tu as une majorité de ▲, tu fais preuve d'une grande générosité et les autres comptent beaucoup pour toi.

Si tu as une majorité de ◆, tu fais preuve de générosité à condition que les autres soient généreux envers toi.

Si tu as une majorité de ▼, tu es plutôt égoïste et tu fais peu attention aux autres.

3 Les pronoms relatifs

- Les pronoms relatifs remplacent un mot ou un groupe de mots.
  Exemple : Je connais l'homme **qui** porte un chapeau mou.
  *(**qui** remplace **l'homme**.)*
- Les pronoms relatifs relient le mot ou le groupe de mots qu'ils remplacent à la proposition qui suit.
  Exemple : Je connais l'homme **qui** porte un chapeau mou.
  *(**qui** relie **l'homme** à **porte un chapeau mou**.)*
- Les pronoms relatifs prennent le genre et le nombre du mot ou du groupe de mots qu'ils remplacent.
  Exemple : Je connais les femmes avec **lesquelles** il parle.
  *(**lesquelles** est féminin pluriel parce que **les femmes** est féminin pluriel.)*
- Les pronoms relatifs peuvent être **groupes sujets (GS)** ou **compléments.**
  Exemples : Je connais l'homme **qui** porte un chapeau mou.
  *(**qui** est le **GS** du verbe **porter**.)*
  L'homme **que** j'ai vu portait un chapeau mou.
  *(**que** est **complément** du verbe **voir**.)*

Les pronoms relatifs

Singulier		Pluriel	
Masculin	**Féminin**	**Masculin**	**Féminin**
lequel	laquelle	lesquels	lesquelles
duquel	de laquelle	desquels	desquelles
auquel	à laquelle	auxquels	auxquelles
qui, que, quoi, dont, où			

Exercice 25 **Dans le texte suivant, les pronoms relatifs sont en gras. Entourez leur antécédent, puis reliez-le au pronom par une flèche.**

Survie en forêt

Si tu es perdu en forêt, voici des conseils **qui** pourraient te sauver la vie.

1) Pas de panique! La panique peut te pousser à faire des choses **que** tu regretteras.

2) N'aie pas peur des animaux! Si ce sont les loups **qui** t'inquiètent, sois tranquille : ils ne s'en prennent pas aux êtres humains. Si ce sont les ours **auxquels** tu penses, il existe des comportements **qui** pourront t'aider : parle, chante, fais n'importe quel bruit **qui** pourra révéler ta présence. Si, malgré cela, un ours s'approche de toi, évite de faire des mouvements brusques **qui** pourraient l'effrayer, éloigne-toi sans courir et sans le regarder dans les yeux.

3) Il ne faut pas tourner en rond! C'est la raison pour **laquelle** tu dois bien marquer l'endroit **où** tu te trouves. Fais une marque bien visible **dont** tu te souviendras et **qui** ne pourra pas s'effacer facilement. C'est de cet endroit **que** tu iras en reconnaissance et **où** tu reviendras souvent.

4) Si tu as des allumettes, l'idéal est de faire un feu de détresse **qui** signalera ta présence aux personnes **qui** te cherchent. La technique **que** tu dois utiliser est simple : assemble des pierres **qui** délimiteront le feu (en été, c'est une précaution **qui** est essentielle); fais un tas d'écorce de bouleau sur **lequel** tu placeras, en pyramide, des branches de bois vert. Ajoute une couche de mousse **que** tu recouvriras de bois pourri. Allume. Cela formera une colonne de fumée **qui** montera vers le ciel et **que** l'on apercevra à des kilomètres à la ronde.

5) Si tu n'as pas d'allumettes, un message de détresse **que** l'on verra du haut des airs pourra faire l'affaire. Ramasse des pierres et des branches avec **lesquelles** tu formeras un immense SOS **que** tu placeras dans un terrain découvert, et **qui** permettra aux avions de te localiser.

Exercice 26 **Complétez le texte par les pronoms relatifs lequel, lesquels, auquel, laquelle, lesquelles ou auxquelles.**

Survie en forêt (suite)

6) L'heure à ______________ le soleil se couche est importante. Il faut prévoir du temps pour te construire un abri dans ______________ tu pourras, si besoin est, passer la nuit. Le froid, la pluie et le vent sont les trois éléments contre ______________ tu dois te protéger. Ne pense surtout pas au confort ______________ tu es habitué chez toi.

Plante quelques longues branches dans le sol en formant un cercle d'environ un mètre de diamètre, puis réunis-les par le haut. Cela formera une armature sur ______________ tu déposeras des branches de cèdre ou d'épinette grâce ______________ tu ne craindras pas le vent ou la pluie. À l'intérieur, recouvre le sol de beaucoup de brindilles sur ______________ tu déposeras également des branches de cèdre ou d'épinette. Cela formera un tapis sur ______________ tu pourras t'asseoir et grâce ______________ tu seras préservé de l'humidité.

3.1 Qui, groupe sujet (GS)

Quand le groupe sujet (GS) est le pronom **qui**, le verbe reçoit sa personne et son nombre de l'antécédent de **qui.**

Exemples : Une personne **qui** se **perd** en forêt ne doit pas paniquer.
Des personnes **qui** se **perdent** en forêt ne doivent pas paniquer.

Exercice 27 **Dans le texte suivant, encerclez les antécédents de qui et écrivez les verbes entre parenthèses à l'indicatif présent.**

Survie en forêt (suite)

7) Si tu es en forme, tu as des réserves qui te (permettre) ______________ de passer facilement quelques jours sans nourriture. Ne mange surtout pas des plantes qui te (être) ______________ inconnues. Ne touche pas aux champignons qui (pouvoir) ______________ être extrêmement dangereux. Si tu es en terrain humide, retiens cependant ceci : la quenouille, qui (pousser) ______________ partout, a une racine qui (être) ______________ comestible.

3.2 L'emploi des pronoms relatifs que et dont

- **Que** répond aux questions **qui ?** ou **quoi ?** posées après le verbe.
  Exemple : Le bois **que** tu prends est vert.
  *(tu prends **quoi ? que**, mis pour **Le bois**)*
- **Dont** répond aux questions **de qui ?** ou **de quoi ?** posées après le verbe.
  Exemple : Le bois **dont** tu te sers est vert.
  *(tu te sers **de quoi ?** de **dont**, mis pour **Le bois**)*

Exercice 28 **Complétez le texte par les pronoms relatifs que ou dont.**

Survie en forêt (suite)

8) Ramasse toutes les feuilles mortes __________ tu trouves. Les feuilles __________ tu choisis doivent être absolument sèches. Glissées en grande quantité dans tes vêtements et tes chaussures, elles constitueront un excellent isolant __________ tu te serviras pour combattre le froid.

9) La soif est un autre facteur __________ tu dois tenir compte. Malgré la pollution __________ on parle tant, l'eau des rivières __________ l'on rencontre au Québec est généralement potable. L'eau de pluie __________ tu récolteras dans un contenant fabriqué avec de l'écorce de bouleau peut également faire l'affaire.

Exercice 29 **Écrivez un autre conseil que l'on pourrait donner à quelqu'un qui est perdu en forêt. Utilisez au moins trois pronoms relatifs de votre choix.**

____

____

____

4 Les pronoms démonstratifs

- Les pronoms démonstratifs remplacent un mot ou un groupe de mots.
  Exemple : J'aime les films de Jackie Chan, mais **ceux** de Bruce Lee m'ennuient.
  *(**ceux** remplace **les films**.)*
- Les pronoms démonstratifs servent à distinguer, sans le nommer, un être, un objet ou un événement comme si on le montrait du doigt.
  Exemple : J'ai vu ces deux films. **Celui-ci** est bon, mais je préfère **celui-là**.
  *(**Celui-ci** désigne un des films dont on parle, **celui-là** désigne l'autre film.)*
- Les pronoms démonstratifs prennent le genre et le nombre du mot ou du groupe de mots qu'ils remplacent.
  Exemple : Il m'a demandé de lui conseiller un film, je lui ai proposé **celui-ci**.
  *(**celui-ci** est masculin singulier parce que **film** est masculin singulier.)*
- Les pronoms démonstratifs peuvent être **groupes sujets (GS)** ou **compléments du verbe**.
  Exemple : J'ai vu ces deux films. **Celui-ci** est bon, mais je préfère **celui-là**.
  *(**Celui-ci** est le GS du verbe **être**; **celui-là** est le complément du verbe **préférer**.)*

Les pronoms démonstratifs

Singulier			Pluriel	
Masculin	**Féminin**	**Masculin ou féminin**	**Masculin**	**Féminin**
celui	celle	ce, c'	ceux	celles
celui-ci	celle-ci	ceci	ceux-ci	celles-ci
celui-là	celle-là	cela, ça	ceux-là	celles-là

Exercice 30 **Barrez les mots soulignés et écrivez au-dessus le pronom démonstratif qui convient.**

a) Aller au cinéma, aller au cinéma me change les idées.

b) J'adore les films de Spielberg, mais je déteste les films de Disney.

c) Quelle comédienne préfères-tu, cette comédienne-ci ou cette comédienne-là?

d) Mes films préférés, mes films préférés sont les films d'action.

e) Mon film préféré, mon film préféré est *Gladiateur*.

Exercice 31 **Soulignez les douze pronoms démonstratifs des textes ci-dessous.**

Chronique cinéma

Le Seigneur des anneaux

Drame fantastique de Peter Jackson, avec Elijah Wood, Ian McKellen, Liv Tyler, Viggo Mortensen, Cate Blanchett, Christopher Lee.

Frodon le hobbit reçoit un anneau mystérieux. Celui-ci a-t-il des pouvoirs magiques? Le Seigneur de Mordor est certain que c'est le cas. Il poursuivra Frodon sans relâche pour s'emparer de l'anneau. Si tu aimes les effets spéciaux, ceux-ci sont particulièrement réussis.

Le Fabuleux Destin d'Amélie Poulain

Comédie de Jean-Pierre Jeunet, avec Audrey Tautou, Mathieu Kassovitz, Rufus, Yolande Moreau, Isabelle Nanty, Jamel Debbouze.

Dans son enfance, Amélie n'a pas eu la vie facile et elle voudrait bien rendre celle des autres plus heureuse. C'est pour cela qu'elle cherche par tous les moyens à procurer un peu de bonheur à ceux qu'elle rencontre. Un film très émouvant qui fera découvrir Paris à ceux qui ne le connaissent pas.

Le Tunnel

Drame de Roland Suso Richter, avec Heino Ferch, Nicolette Krebitz, Alexandra Maria Lara, Sebastian Koch.

Le Mur de Berlin a été construit en 1961 en plein cœur de la ville. Le Mur séparait celle-ci en deux. Du jour au lendemain, ceux qui vivaient à l'Est se retrouvèrent coupés de leur famille et de leurs amis qui vivaient à l'Ouest. Le film raconte l'histoire d'un champion de natation qui, après s'être enfui à l'Ouest, creuse un tunnel sous le Mur afin d'aller chercher sa sœur, celle-ci étant restée à l'Est.

À l'époque, de nombreuses personnes ont vécu une aventure semblable à celle qui est rapportée dans ce film.

4.1 Distinguer ce (pronom démonstratif) et se (pronom personnel)

- **Ce** est un pronom démonstratif. La plupart du temps, on peut le remplacer par **cela**.
  Exemple: **Ce** n'est pas mon film préféré. ➔ **Cela** n'est pas mon film préféré.
- **Se** est un pronom personnel. Il est toujours placé devant un verbe.
  Pour le reconnaître, on peut le remplacer par le pronom personnel **me**.
  Exemple: Léo **se** demande quel film aller voir. ➔ Léo **me** demande quel film aller voir.

Exercice 32 **Complétez les textes en écrivant ce ou se.**

Chronique cinéma (suite)

Braquage

Drame policier de David Mamet, avec Gene Hackman, Delroy Lindo, Danny DeVito, Rebecca Pidgeon, Sam Rockwell.

Joe est un cambrioleur qui _____ débrouille très bien. Jamais il ne _____ lance dans un coup sans un plan solide. Pourtant, un jour, il _____ fait filmer par une caméra de surveillance lors d'un vol. Il décide alors que _____ sera pour lui le moment de _____ retirer, mais _____ n'est pas du goût de son receleur. Celui-ci obligera Joe à _____ compromettre dans un dernier cambriolage.

Un homme d'exception

Drame de Ron Howard, avec Russell Crowe, Ed Harris, Jennifer Connelly, Christopher Plummer, Paul Bettany.

L'histoire _____ passe aux États-Unis. La Deuxième Guerre mondiale vient de _____ terminer. John Nash, un génie des mathématiques, fait son entrée à l'université, et déjà il _____ démarque de ses camarades. En fait, le jeune homme est schizophrène, _____ qui ne facilite pas ses relations avec les autres. Plus tard, il est recruté par les services secrets. _____ sera alors pour lui une confusion continuelle entre la réalité et _____ qu'il imagine. _____ n'est qu'au prix d'une lutte acharnée qu'il _____ libérera de sa maladie.

John Nash a vraiment existé, il a reçu le prix Nobel d'économie.

5 Les pronoms interrogatifs

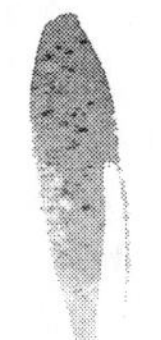

- Les pronoms interrogatifs sont les mêmes que les pronoms relatifs (voir p. 96), sauf *dont* et *où*. Ils permettent de poser une question.
  Exemples : **Qui** frappe à la porte ? **Que** se passe-t-il ? **Lequel** de ces crayons veux-tu ?
- Les principaux pronoms interrogatifs :
  qui, que, quoi, lequel, laquelle, lesquels, lesquelles, etc.

Exercice 33 **Complétez les phrases par le pronom interrogatif qui peut remplacer les mots soulignés.**

Exemple : **Qui** frappe à la porte ? — Pierre frappe à la porte.

a) À ______________ penses-tu ? — Tu penses à ton test de maths.

b) ______________ fait Cyrille ? — Cyrille fait du cinéma.

c) ______________ sont à moi ? — Ces deux casquettes sont à moi.

6 Les pronoms indéfinis

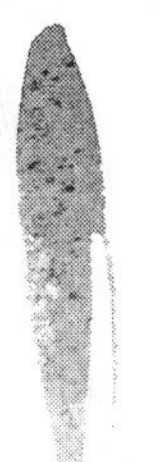

- Les pronoms indéfinis servent à désigner sans le nommer, et d'une manière vague, un être, un objet ou un événement.
  Exemple : **Quelqu'un** a frappé. *(On ne sait pas qui a frappé, c'est vague, c'est peut-être une femme, un homme, un enfant…)*
- Les principaux pronoms indéfinis :
  aucun, aucune, certains, certaines, chacun, chacune, l'autre, les autres, l'un, l'une, les uns, les unes, nul, nulle, on, personne, plusieurs, quelqu'un, quelques-uns, quelques-unes, rien, tout, tous, toutes, etc.

Exercice 34 **En vous aidant des indices entre parenthèses, complétez chaque phrase par un des pronoms indéfinis de la liste ci-dessous.**

rien – plusieurs – personne – quelqu'un – tous

a) ______________ a frappé à la porte. (*on ne sait pas qui*)

b) ______________ sont malades. (*on ne sait pas combien, mais pas la totalité*)

c) Aujourd'hui, ______________ sont absents. (*tout le monde*)

d) Je n'ai ______________ dans les poches. (*pas une seule chose*)

e) Il n'y a ______________ dans la salle. (*pas un être humain*)

Bilan

Exercice 35 **Complétez la recette ci-dessous par le pronom demandé.**

1 → pronom personnel **2 → pronom possessif** **3 → pronom relatif**
4 → pronom démonstratif **5 → pronom indéfini**

Gâteau de survie

INGRÉDIENTS

625 ml de farine	2 1/2 tasses	500 ml de sucre	2 tasses
10 ml de levure chimique	2 c. à thé	4 œufs	
125 ml de cacao	1/2 tasse	500 ml de carottes râpées	2 tasses
250 ml d'huile végétale	1 tasse	250 ml de noix hachées	1 tasse

PRÉPARATION

Chauffe le four à 180 °C (350 °F). Mélange la farine, la levure et le cacao dans un grand bol. Mets [4]________ de côté. Dans un autre bol, verse le sucre, les œufs et l'huile, puis bats-[1]________ jusqu'à [4]________ que le mélange ressemble à de la mousse.

Ajoute les carottes, [3]________ devront avoir été râpées finement, et les noix ([4]________ peuvent être hachées grossièrement). Verse ce mélange dans le grand bol [3]________ [1]________ as mis de côté. Mélange le tout afin d'obtenir une pâte [3]________ sera bien homogène, puis dépose [4]________ dans un moule rectangulaire (22 cm x 34 cm) [3]________ [1]________ auras d'abord graissé.

Fais cuire pendant 55 à 60 minutes. Pour savoir si ton gâteau est prêt, [1]________ peux en piquer le centre avec un couteau, [4]________ doit ressortir propre.

Attends 15 minutes avant de [1]________ démouler, sinon, le gâteau risque de [1]________ défaire. Laisse-[1]________ refroidir complètement sur une grille.

Ce gâteau [1]________ conserve au moins trois jours. [1]________ contient les calories [3]________ [5]________ a grand besoin lors de promenades en forêt. [4]________'est une excellente collation. Tout bon randonneur doit d'ailleurs emporter [2]________ , sinon, [1]________ risque de ne pas tenir longtemps.

Les homophones

Qu'est-ce qu'un homophone ?

Les homophones sont des mots qui se prononcent de la même façon, mais qui ont une orthographe et un sens différents.

Exemple : pain (aliment) et pin (arbre)

Exercice 1 **Lisz le texte suivant à voix haute et soulignez dans le texte les homophones des mots en gras.**

La famille

Aujourd'hui, **mes** parents font un **saut** au **bal** masqué donné par le **maire**. Ma mère boit un **verre** de **vin**, elle renverse un seau à champagne et une coupe remplie d'**amandes**, puis elle traite de sot le secrétaire déguisé en ver de terre, qui devient vert tout d'un **coup**. Résultat : elle reçoit une amende de vingt sous.

Mon **père**, qui porte pour l'occasion une paire de chaussettes dépareillées, **se** fait du mauvais **sang** et regarde sans arrêt vers la sortie. Il ne **sait** plus **où** aller. Il pense qu'il aurait mieux fait de rester à la maison pour regarder la télévision ou de faire ses **comptes** dans la voiture.

Pendant ce temps, je garde mon petit frère qui souffre atrocement d'un mal de cou, mais qui veut absolument aller jouer à la balle au bord de la mer. Je suis obligé de lui lire cent fois le même conte pour le calmer.

Exercice 2

vers	amende	ça	cent	où
chaîne	ses	balle	poing	champ
scie	là	compte	seau	se
vin	sûr	sot	verre	sceau
sang	maire	ver	mets	mais
paire	s'y	pot	mât	mer

À l'aide des mots de la liste ci-dessus, écrivez les homophones des mots suivants.

amande : ______

bal : ______

conte : ______

ce : ______

ces : ______

chant : ______

chêne : ______

la : ______

mère : ______

ma : ______

mes : ______

ou : ______

peau : ______

père : ______

point : ______

sa : ______

sans : ______

si : ______

saut : ______

sur : ______

vert : ______

vingt : ______

Exercice 3 **Choisissez le mot qui correspond à chaque définition.**

a) amande - amende

Fruit de l'amandier : ______

Somme à payer quand on commet une infraction : ______

b) mais – mes

Indique une possession (à moi) : ______

Indique une opposition (cependant) : ______

Les homophones lexicaux

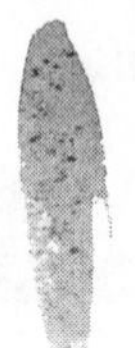

Les homophones lexicaux sont des homophones qui appartiennent à la même classe de mots (noms, verbes, adjectifs). En cas de doute sur leur orthographe, il faut consulter un dictionnaire.

Exemples : des noms → amande (fruit) amende (somme à payer)
des verbes → compter (calculer) conter (raconter)

1 Les principaux homophones lexicaux

AIR, n. m. Gaz que nous respirons.
AIRE, n. f. Surface, territoire.

Exercice 4 **Complétez les phrases par** air **ou** aire.

a) Mon cousin Louis pollue l' ________________ que je respire.

b) La cousine Berthe a eu une contravention dans l'________________ de stationnement.

AMANDE, n. f. Fruit de l'amandier.
AMENDE, n. f. Somme à payer quand on commet une infraction.

Exercice 5 **Complétez les phrases par** amande **ou** amende.

a) Berthe devra payer une grosse ________________.

b) Le petit Léo a avalé une ________________ de travers.

ANCRE, n. f. Lourde pièce d'acier qui sert à immobiliser un bateau.
ENCRE, n. f. Liquide utilisé pour écrire.

Exercice 6 **Complétez les phrases par** ancre **ou** encre.

a) Mon oncle Conrad écrit ses lettres à l'________________ violette.

b) Mon oncle Albert a une ________________ tatouée sur le bras.

AUTEUR, n. m. Créateur d'un ouvrage.
HAUTEUR, n. f. Dimension verticale.

Exercice 7 **Complétez les phrases par** auteur **ou** hauteur.

a) Conrad est l'____________________ d'un recueil de poèmes.

b) Mon grand-père est un ancien champion de saut en ____________________.

BAL, n. m. Réunion où l'on danse.
BALLE, n. f. Boule rebondissante avec laquelle on joue.

Exercice 8 **Complétez les phrases par** bal **ou** balle.

a) Berthe et son mari se sont rencontrés à un ____________________ masqué.

b) Mon oncle Anatole a une ____________________ de golf à son nom.

BALADE, n. f. Promenade.
BALLADE, n. f. Chanson, poème.

Exercice 9 **Complétez les phrases par** balades **ou** ballades.

a) Les jours de pluie, Conrad compose des ____________________.

b) Mon cousin Léo adore les ____________________ en auto.

BALAI, n. m. Instrument utilisé pour nettoyer les sols.
BALLET, n. m. Danse.

Exercice 10 **Complétez les phrases par** balai **ou** ballet**.**

a) Conrad est maigre comme un manche à ____________________.

b) Oncle Albert a épousé une danseuse de ____________________ du Cambodge.

BAR, n. m. Établissement où l'on peut boire de l'alcool.
BARRE, n. f. Pièce longue, étroite et dure.

Exercice 11 **Complétez les phrases par** bar **ou** barre.

a) Mon oncle Antoine peut tordre une ____________________ de fer avec ses mains.

b) Conrad a passé le jour de Noël dans un ____________________.

CANE, n. f. Femelle du canard.
CANNE, n. f. Bâton sur lequel on s'appuie pour marcher.

Exercice 12 **Complétez les phrases par** cane **ou** canne.

a) Mon oncle Alfred élève une ____________________ dans son garage.

b) Ma grand-mère refuse de marcher avec sa ____________________.

CHAÎNE, n. f. Anneaux liés les uns aux autres.
CHÊNE, n. m. Arbre.

Exercice 13 **Complétez les phrases par** chaîne **ou** chêne.

a) Alfred a planté un ____________________ au bout de son champ.

b) Berthe a coincé sa jupe dans la ____________________ de son vélo.

CHAMP, n. m. Étendue de terre.
CHANT, n. m. Chanson.

Exercice 14 **Complétez les phrases par** champ **ou** chant.

a) Ma sœur aime le ____________________ du rossignol.

b) Le petit Léo s'est perdu dans le ____________________ de maïs.

CHŒUR, n. m. Groupe de chanteurs.
CŒUR, n. m. Partie du corps.

Exercice 15 **Complétez les phrases par** chœur **ou** cœur.

a) Mon oncle Conrad a le ____________________ brisé.

b) La femme d'Alfred chante dans un ____________________.

COMPTER, v. Calculer.
CONTER, v. Raconter.

Exercice 16 **Complétez les phrases par** compter **ou** conter.

a) Le cousin Jérémie est incapable de ____________________ jusqu'à dix.

b) Louis, arrête de ____________________ des mensonges.

COU, n. m. Partie du corps.
COUP, n. m. Choc, blessure.
COÛT, n. m. Prix, somme, valeur.

Exercice 17 **Complétez les phrases par** cou, coup **ou** coût.

a) Léon a cassé la baie vitrée du salon d'un seul ____________________ de marteau.

b) Le ____________________ de la réparation sera très élevé.

c) Berthe a un long ____________________ gracieux.

COUR, n. f. Espace situé à l'arrière d'un bâtiment.
COURS, n. m. Leçon.

Exercice 18 **Complétez les phrases par** cour **ou** cours.

a) Mon oncle Antoine donne un ____________________ d'autodéfense.

b) Mon oncle Alfred élève des poules dans sa ____________________.

DÉGOÛTER, v. Inspirer la répugnance.
DÉGOUTTER, v. Couler goutte à goutte.

Exercice 19 **Complétez les phrases par** dégoûte **ou** dégoutte.

a) « Il me ____________________ ! » m'a dit ma sœur d'un air méprisant.

b) Chez Berthe, le robinet de la cuisine ____________________ sans arrêt.

DO, n. m. Note de musique.
DOS, n. m. Partie du corps.

Exercice 20 **Complétez les phrases par** do **ou** dos.

a) Le ____________________ de ma clarinette sonne faux.

b) Mon cousin Louis a mis un poisson mort dans mon sac à _______________.

EAU, n. f. Liquide transparent.
HAUT, n. m. Partie supérieure.

Exercice 21 **Complétez les phrases par** eau **ou** haut.

a) Léo essaye d'attraper le pot de confiture dans le ____________________ du placard.

b) Anatole ne met pas souvent d'____________________ dans son vin.

FAIM, n. f. Besoin de manger.
FIN, n. f. Moment où se termine quelque chose.

Exercice 22 **Complétez les phrases par** faim **ou** fin.

a) Conrad a rarement ____________________ le matin.

b) Berthe a manqué la ____________________ du film.

FOI, n. f. Croyance.
FOIE, n. m. Organe du corps.
FOIS, n. f. Événement, circonstance qui peut se répéter.

Exercice 23 **Complétez les phrases par** foi, foie **ou** fois.

a) Mon oncle Albert a fait dix ____________________ le tour de la Terre.

b) Conrad n'a plus ____________________ en la vie.

c) Ma mère a toujours mal au ____________________.

LACER, v. Attacher avec des lacets.
LASSER, v. Ennuyer.

Exercice 24 **Complétez les phrases par** lacer **ou** lasser.

a) À six ans, Jérémie est incapable de ____________________ ses souliers.

b) Il peut répéter cent fois la même farce sans se ____________________.

MAÎTRE, n. m. Personne qui commande.
MÈTRE, n. m. Unité de mesure des longueurs.

Exercice 25 **Complétez les phrases par** maîtres **ou** mètres.

a) Mon oncle Armand mesure près de deux ____________________.

b) Mon chien a cinq ____________________.

MAIRE, n. m. Personne élue pour diriger une municipalité.
MER, n. f. Vaste étendue d'eau salée.
MÈRE, n. f. Femme qui a un ou plusieurs enfants.

Exercice 26 **Complétez les phrases par** maire, mer **ou** mère.

a) Ma tante est la ____________________ de huit enfants.

b) Albert a traversé la ____________________ de Chine en radeau.

c) Mon oncle Anatole est ____________________ depuis vingt ans.

MAL, n. m. Ce qui est contraire au bien.
MALLE, n. f. Coffre.

Exercice 27 **Complétez les phrases par** mal **ou** malle.

a) Le livre de Conrad s'appelle « La ____________________ aux souvenirs cachés ».

b) Dans son livre, il s'interroge sur le bien et le ____________________ .

MI, n. m. Note de musique.
MIE, n. f. Partie intérieure du pain.

Exercice 28 **Complétez les phrases par** mi **ou** mie.

a) Léon n'arrête pas de lancer des boules de ____________________ de pain.

b) Le ____________________ de ma clarinette sonne faux.

MUR, n. m. Cloison, paroi.
MÛRE, n. f. Fruit du mûrier.

Exercice 29 **Complétez les phrases par** murs **ou** mûres.

a) Léo a dessiné des monstres sur les ____________________ du salon.

b) La confiture de ____________________ de ma mère est dure à battre.

PAIN, n. m. Aliment.
PIN, n. m. Arbre.

Exercice 30 **Complétez les phrases par** pain **ou** pin.

a) Le chalet d'Anatole est en ____________________.

b) Je ne mange pas de ce ____________________ - là !

PAIRE, n. f. Qui va par deux.
PÈRE, n. m. Homme qui a un ou plusieurs enfants.

Exercice 31 **Complétez les phrases par** paire **ou** père.

a) Armand ne trouve jamais une ____________________ de souliers à sa taille.

b) « Mon ____________________ est plus fort que le tien », m'a dit Léon.

PANSER, v. Appliquer un pansement.
PENSER, v. Songer, croire, réfléchir.

Exercice 32 **Complétez les phrases par** panser **ou** penser.

a) Conrad ira ____________________ ses plaies à Florence.

b) La femme d'Albert n'arrête pas de ____________________ à son pays natal.

PEAU, n. f. Enveloppe extérieure qui recouvre les êtres vivants ou certains fruits.
POT, n. m. Récipient.

Exercice 33 **Complétez les phrases par** peau **ou** pot.

a) Toutes les fleurs en ____________________ de Berthe ont gelé.

b) Berthe a glissé sur une ____________________ de banane.

POIDS, n. m. Masse.
POIS, n. m. Plante dont on mange les graines.

Exercice 34 **Complétez les phrases par** poids **ou** pois.

a) Mon oncle Antoine peut soulever un ____________________ de 80 kg.

b) Chez mon oncle Alfred, on mange souvent de la soupe aux ____________________.

POING, n. m. Main fermée.
POINT, n. m. Signe de ponctuation que l'on met à la fin d'une phrase.

Exercice 35 **Complétez les phrases par** poing **ou** point.

a) Louis a donné un coup de ____________________ à un inconnu.

b) Le poème de Conrad ne contient qu'un seul ____________________ et aucune virgule.

PORC, n. m. Cochon.
PORT, n. m. Abri pour les navires.

Exercice 36 **Complétez les phrases par** porc **ou** port.

a) Berthe a passé une journée au vieux ____________________.

b) Mon oncle Alfred élève un ____________________ dans son garage.

RAISONNER, v. Réfléchir.
RÉSONNER, v. Retentir, renvoyer un son.

Exercice 37 **Complétez les phrases par** raisonnent **ou** résonnent.

a) Les pleurs de Léo ____________________ dans la nuit.

b) Louis et Léon ____________________ avec leurs pieds.

SAUT, n. m. Bond.
SEAU, n. m. Récipient.
SOT, n. m. Personne stupide.

Exercice 38 **Complétez les phrases par** saut, seau **ou** sot.

a) Mon cousin Jérémie est un ____________________.

b) Mon grand-père est un ancien champion de ____________________ en ski.

c) Léon m'a réveillé en me versant un ____________________ d'eau sur la tête.

SUR(E), adj. Qui a un goût acide.
SÛR(E), adj. Certain.

Exercice 39 **Complétez les phrases par** sur **ou** sûr.

a) Mon oncle Anatole n'est pas ____________________ d'être réélu.

b) La confiture de rhubarbe de Berthe a un goût trop ____________________.

TANTE, n. f. Sœur du père ou de la mère.
TENTE, n. f. Abri de toile.

Exercice 40 **Complétez les phrases par** tante **ou** tente.

a) Ma ____________________ Berthe est malchanceuse.

b) « Armand ! Tes pieds dépassent de la ____________________! »

VER, n. m. Animal qui vit dans la terre.
VERRE, n. m. Récipient pour boire.
VERT, n. m. Couleur.

Exercice 41 **Complétez les phrases par** ver, verre **ou** vert.

a) Ma sœur s'est teint les cheveux en ____________________.

b) Berthe a renversé son ____________________ de vin sur sa jupe blanche.

c) Mon cousin Léon a apprivoisé un ____________________ de terre.

VOIE, n. f. Chemin.
VOIX, n. f. Ensemble des sons produits par les cordes vocales.

Exercice 42 **Complétez les phrases par** voie **ou** voix.

a) Conrad cherche encore sa ____________________ dans la vie.

b) Léo a tellement pleuré qu'il a la ____________________ cassée.

Les homophones grammaticaux

Les homophones grammaticaux sont des homophones qui appartiennent à des classes de mots différentes. En cas de doute sur leur orthographe, il faut consulter une grammaire.

Exemples : a → verbe (avoir)
à → préposition

2 Les principaux homophones grammaticaux

a – à

	Classe de mots	Truc pour les distinguer	Exemples
a	- Verbe **avoir** conjugué à la 3e personne du singulier de l'indicatif présent. - Auxiliaire **avoir** servant à former le passé composé de certains verbes à la 3e personne du singulier.	On peut le remplacer par **avait**.	Elle **a** la grippe. *Elle **avait** la grippe.* Elle **a** attrapé la grippe. *Elle **avait** attrapé la grippe.*
à	Préposition. Elle introduit un complément (de phrase, du verbe, du nom ou de l'adjectif) et indique : - le lieu, - le temps, - la possession, - le moyen, - la manière, - la fonction, etc.	On ne peut pas la remplacer par **avait**.	Elle va **à** la campagne. *Elle va ~~avait~~ la campagne.* On ouvre **à** midi. *On ouvre ~~avait~~ midi.* Ce livre est **à** moi. *Ce livre est ~~avait~~ moi.* On rentre **à** pied. *On rentre ~~avait~~ pied.* Tout est fait **à** la main. *Tout est fait ~~avait~~ la main.* Un couteau **à** pain. *Un couteau ~~avait~~ pain.*

Exercice 43 **Complétez par** a **ou** à.

De quelle ville parle-t-on ?

Surnommée la Sérénissime, la ville ____ été fondée en 568 et pendant des siècles ____ rayonné sur toute l'Europe. Elle ____ connu son heure de gloire ____ la Renaissance, puis son déclin ____ la fin du XVIIIe siècle. Aujourd'hui, mis ____ part la splendeur de son architecture, cette ville ____ une grande notoriété pour son carnaval, qui ____ lieu chaque hiver, et pour son festival international de cinéma, *La Mostra*, qui ____ une grande réputation. C'est aussi devenu un lieu de prédilection pour les nouveaux mariés ____ l'occasion de leur voyage de noces.

Lorsque le voyageur arrive ____ l'aéroport de Marco Polo ou ____ la gare, il ____ la possibilité de prendre le *vaporetto*, ce bateau ____ moteur qui sert d'autobus et qui mène ____ tous les sites importants de la ville.

Les déplacements ____ travers les innombrables canaux de la ville se font ____ pied, en gondole ou en bateau. Le touriste ____ l'embarras du choix. Il y ____ près de cinq cents palais et une centaine d'églises ____ visiter. Le célèbre palais des Doges, par exemple, qui ____ été bâti au XIVe siècle, est ____ voir absolument, ainsi que la non moins célèbre basilique Saint-Marc, située ____ l'arrière.

Réponse : Venise

ça – sa

	Classe de mots	Truc pour les distinguer	Exemples
ça	Pronom démonstratif, abréviation familière de **cela**.	On peut le remplacer par **cela**.	**Ça** m'énerve ! ***Cela** m'énerve !*
sa	Déterminant possessif féminin singulier. Il indique à qui appartient ce dont on parle.	On peut le remplacer par un autre déterminant féminin singulier.	Chloé range **sa** chambre. *Chloé range **la** chambre.*

Exercice 44 **Complétez par** ça **ou** sa.

De quel sport parle-t-on ?

____ se passe en 1987, au Forum, pendant un match de quart de finale opposant Québec et Montréal. Nous sommes à la fin de la 3e période. Jusque-là, ____ a été une rencontre très équilibrée bien que mouvementée. Soudain, sortant en trombe de ____ zone, Alain Côté arrive dans l'enclave, utilise ____ feinte préférée et lance un boulet de canon vers le gardien. Dans ____ tête, ____ ne fait aucun doute : il y a but et ____ commence à sentir la victoire. Mais il semble que ____ ne fait pas l'affaire de l'arbitre Kerry Fraser, qui refuse le but. Faut-il mettre en cause ____ bonne foi, ____ partialité ou ____ vision du jeu ? ____ reste à voir ! Quoi qu'il en soit, ____ décision entachera ____ réputation, qui en prendra pour son rhume.

Québec a perdu le match et la série. Depuis, Alain Côté, interrogé à plusieurs reprises pour donner ____ version des faits, a toujours été, pour ____ part, persuadé que le but était bon, même si ____ déplaît encore aujourd'hui aux Montréalais.

Réponse : du hockey

ce – se

	Classe de mots	Truc pour les distinguer	Exemples
ce	Déterminant démonstratif masculin singulier. Il indique que l'on montre ce dont on parle.	On peut ajouter **-là** après le nom.	**Ce** gâteau est brûlé ! ***Ce*** *gâteau-**là** est brûlé !*
ce	Pronom démonstratif masculin singulier.	On peut le remplacer par **cela**. Il est placé devant **que** ou **qui**.	**Ce** n'est pas de ta faute ! ***Cela*** *n'est pas de ta faute !* Je sais **ce que** je dis !
se	Pronom personnel de la 3e pers. du sing.	Il est placé devant un verbe. On peut le remplacer par **me** quand on conjugue le verbe à la 1re pers. du sing.	Il **se** repose. *Je **me** repose.*

Exercice 45 **Complétez par** ce **ou** se.

De quel animal parle-t-on ?

____ mammifère est le plat favori d'Obélix, personnage célèbre d'une bande dessinée. Il ____ rencontre dans les forêts de nombreux pays. Il ____ caractérise par un cou massif, une tête conique et un pelage brun, dru et rêche.

Il ____ roule fréquemment dans la boue, ____ qui l'aide à ____ débarrasser des parasites. Pour marquer son territoire, il ____ frotte contre les troncs d'arbre.

____ grand tapageur, dont les grognements se font entendre de loin, ____ sauve en présence de l'homme, et ____, de manière agile et rapide. Mais il peut ____ montrer agressif s'il ____ sent attaqué. La femelle, qui ____ nomme la laie, peut ____ révéler particulièrement dangereuse si elle croit ses petits en danger.

Réponse : le sanglier

c'est – s'est – ces – ses

	Classe de mots	Truc pour les distinguer	Exemples
c'est	Pronom démonstratif **c'** + verbe **être** à la 3ᵉ pers. du sing. de l'indicatif présent.	On peut le remplacer par **cela est**.	**C'est** trop tard ! ***Cela** est trop tard !*
s'est	Pronom personnel **s'** + auxiliaire **être** servant à former le passé composé de certains verbes à la 3ᵉ pers. du sing.	On ne peut pas le remplacer par **cela est**.	Il **s'est** trompé. *Il ~~**cela est**~~ trompé.*
ces	Déterminant démonstratif pluriel. Il indique que l'on montre ce dont on parle.	On peut ajouter -**là** après le nom.	**Ces** tartes sont brûlées ! ***Ces** tartes-**là** sont brûlées !*
ses	Déterminant possessif pluriel. Il indique à qui appartient ce dont on parle.	Devant le nom au singulier, **ses** devient **son** ou **sa**.	Chloé ronge **ses** ongles. *Chloé ronge **son** ongle.*

Exercice 46 **Complétez par** c'est, s'est, ces **ou** ses.

De quel personnage de bande dessinée parle-t-on ?

______ dans l'album *Sur la piste des Dalton* qu'il ______ distingué pour la première fois. Ce personnage de Goscinny est une caricature de Rintintin, héros d'une série télévisée américaine des années 1960. ______ pourtant l'opposé du célèbre Rintintin qui ______ fait connaître par ______ prouesses et qui «aidait ______ amis en difficulté en toutes circonstances ».

« Gardien » d'un pénitencier, il doit surveiller les Dalton, ______ fameux hors-la-loi qui sèment la terreur. Mais ______ la bêtise qui caractérise notre héros. ______ décisions, ______ réactions et ______ réflexions sont particulièrement absurdes et stupides. Sa principale préoccupation, ______ manger. Il ______ déjà fait remarquer pour son courage, mais c'était involontaire ! ______ le grand ami d'Averell Dalton. Ce dernier, souffre-douleur de ______ trois frères, est lui aussi un idiot sympathique. ______ deux individus se comprennent et se complètent parfaitement.

Réponse : Rantanplan

l'a – la – là

	Classe de mots	Truc pour les distinguer	Exemples
l'a	Pronom personnel **l'** + auxiliaire **avoir** servant à former le passé composé de certains verbes à la 3ᵉ pers. du sing.	On peut le remplacer par **l'avait**.	Il **l'a** bien cherché ! *Il **l'avait** bien cherché !*
la	Déterminant défini féminin singulier.	On peut le remplacer par un autre déterminant féminin singulier (une, ma...).	Attrape **la** balle ! *Attrape **une** balle !*
la	Pronom personnel complément, féminin singulier. Il remplace un mot ou un groupe de mots.	On ne peut pas le remplacer par **l'avait**, ni par un autre déterminant.	Chloé, je ne **la** crois pas. *Chloé, je ne ~~**l'avait**~~ crois pas.* *Chloé, je ne ~~**ma**~~ crois pas.*
là	Adverbe de lieu.	On peut le remplacer par **ici**.	Ne reste pas **là**. *Ne reste pas **ici**.*

Exercice 47 **Complétez par** l'a, la **ou** là.

De quel chanteur parle-t-on ?

____ carrière de ce chanteur commence dès ses huit ans, à ____ cathédrale de Saint-Jean, à Lafayette, en Louisiane. C'est ____, alors qu'il est soprano dans ____ chorale des garçons, qu'il découvre sa vocation.

Sa famille, d'origine cajun, ____ élevé dans l'amour de ____ musique et de ____ langue française. ____ tradition acadienne de ____ Louisiane ____ beaucoup influencé. Il ____ célèbre dans ____ plupart de ses textes, c'est ____ sa source principale d'inspiration.

Après un bref séjour à New York, il part pour ____ France, ____ où un premier public le découvre. Le Québec l'accueille vers ____ fin des années 1970. À cette époque-____, il enregistre ____ chanson « Travailler c'est trop dur », chanson qui ____ propulsé dans le monde des stars.

Réponse : Zachary Richard

m'a – ma

	Classe de mots	Truc pour les distinguer	Exemples
m'a	Pronom personnel **m'** + auxiliaire **avoir** servant à former le passé composé de certains verbes à la 3e pers. du sing.	On peut le remplacer par **m'avait**.	Il **m'a** oublié ! *Il **m'avait** oublié !*
ma	Déterminant possessif féminin. Il indique à qui appartient ce dont on parle.	On peut le remplacer par un autre déterminant féminin singulier (une, la...).	Léa est **ma** cousine. *Léa est **une** cousine.*

Exercice 48 **Complétez par** m'a **ou** ma.

De quel métier parle-t-on ?

Depuis trente ans, ____ sacoche sur l'épaule, je sillonne les rues de ____ ville. ____ journée commence à 8 h et se termine à 16 h. Une seule chose ____ dérangé jusqu'ici dans ____ profession : les chiens. Au début de ____ carrière, un molosse ____ mordu au mollet et récemment, un autre ____ déchiré ____ chemise. ____ résignation et ____ patience ont des limites : j'ai décidé de ne plus livrer le courrier dans les maisons où ____ sécurité et ____ qualité de vie sont menacées. ____ supérieure hiérarchique, sensible à ____ situation, ____ d'ailleurs autorisé à changer ____ tournée en fonction des « maisons à chien ». Elle ____ promis que, dorénavant, ____ collègue Lucie s'en chargerait.

Réponse : facteur

mais – mes

	Classe de mots	Truc pour les distinguer	Exemples
mais	Marqueur de relation qui indique l'opposition.	On peut le remplacer par **cependant**.	Je cherche, **mais** je ne trouve rien. *Je cherche, **cependant** je ne trouve rien.*
mes	Déterminant possessif pluriel. Il indique à qui appartient ce dont on parle.	Devant le nom au singulier, **mes** devient **mon** ou **ma**.	J'ai perdu **mes** clés. *J'ai perdu **ma** clé.*

Exercice 49 **Complétez par** mais **ou** mes.

De quel signe astrologique parle-t-on ?

______ amis sont venus chez moi pour fêter ______ dix-huit ans, ______ ils se sont trompés de date. Mon anniversaire est en été, ______ ils sont venus au printemps.

______ principales qualités sont la générosité, le courage et la loyauté, ______ je peux aussi être tyrannique et très susceptible, surtout avec ______ parents.

______ couleurs préférées sont le gris et le bleu, ______ j'aime bien le jaune.
______ jours préférés sont le lundi et le jeudi, ______ je ne déteste pas le vendredi.

Je m'entends bien avec mon père, ______ un peu mieux avec ma mère.

J'ai le même signe astrologique que ______ deux peintres préférés, Modigliani et Rembrandt, ______ c'est aussi celui de Marcel Proust, un écrivain que ______ parents m'ont forcé à lire quand j'avais quatorze ans.

Le mois de mon anniversaire contient un **u** et un **i,** ______ ne contient pas de **t**.

Réponse : cancer

m'ont – mon

	Classe de mots	Truc pour les distinguer	Exemples
m'ont	Pronom personnel **m'** + auxiliaire **avoir** servant à former le passé composé de certains verbes à la 3e pers. du plur.	On peut le remplacer par **m'avaient**.	Ils **m'ont** oublié. *Ils **m'avaient** oublié.*
mon	Déterminant possesif singulier. Il indique à qui appartient ce dont on parle.	On peut le remplacer par un autre déterminant singulier. (un, le…).	J'ai perdu **mon** foulard. *J'ai perdu **un** foulard.*

Exercice 50 **Complétez par** m'ont **ou** mon.

Charades

a)

______ premier est une colline.

______ second est un prénom.

______ tout est une ville.

J'y ai passé ______ enfance et ______ adolescence. Des voisins ______ apprécié, d'autres ne ______ jamais regardé. ______ oncle et ______ cousin habitaient à côté, ils ______ appris à jouer au hockey.

Réponse : Montréal (mont – Réal)

b)

______ premier est le verbe voir conjugué à la 2e personne du singulier du passé simple.

Les animaux peuvent attraper ______ second.

______ tout est un prénom indien, mais c'est aussi un tournant.

______ père et ma mère ______ donné un drôle de prénom. Ils ______ souvent raconté que c'était en souvenir de leur voyage de noces en Inde. ______ frère et ______ cousin ______ embêté toute ______ enfance à cause de ça. Mes amis ______ beaucoup taquiné aussi. Surtout que ______ nom de famille est Aucoin.

Réponse : Viraj (vis – rage)

on – ont

	Classe de mots	Truc pour les distinguer	Exemples
on	Pronom indéfini de la 3e pers. du sing.	On peut le remplacer par **il** ou **elle**.	**On** sonne à la porte. ***Il*** *sonne à la porte.*
ont	- Verbe **avoir** à la 3e pers. du plur. de l'indicatif présent. - Auxiliaire **avoir** servant à former le passé composé de certains verbes à la 3e pers. du plur.	On peut le remplacer par **avaient**.	Ils **ont** la grippe. *Ils* ***avaient*** *la grippe.* Ils **ont** attrapé la grippe. *Ils* ***avaient*** *attrapé la grippe.*

Exercice 51 **Complétez par** on **ou** ont

De quel jeu parle-t-_____ ?

C'est un jeu de stratégie dont les pièces représentent deux armées. Les joueurs _______ pour but de s'emparer du roi de l'adversaire. Les règles que l'_______ connaît aujourd'hui _______ été élaborées au Moyen Âge.

_______ a retrouvé des traces de ce jeu en Inde au Ve siècle de notre ère. _______ pense que son ancêtre est un jeu indien, qui porte le nom sanscrit de *chaturanga*.

Dans une célèbre légende, _______ fait remonter sa création à 3 000 ans avant Jésus-Christ. _______ y raconte l'histoire d'un roi et de sa cour qui s'ennuyaient horriblement. Le roi avait promis une récompense à celui qui réussirait à les distraire. Un jour, _______ vit donc arriver un sage qui enchanta tout le monde avec son jeu où l'_______ devait déplacer sur une planche des fous, des cavaliers, des tours...

Le roi et sa cour _______ été vivement impressionnés, c'est le moins qu'_______ puisse dire. Mais ils _______ vite déchanté quand ils _______ appris quelle récompense demandait le sage. Ils _______ réalisé qu'______ devrait ruiner tout le royaume pour le satisfaire. En effet, il demandait qu'______ dépose un grain de blé sur la première case de la planche de jeu, deux grains sur la deuxième, quatre sur la troisième et ainsi de suite jusqu'à la 64e case. Si l'______ calculait bien, ______ arrivait à des milliards de milliards de grains.

Pour la fin de cette histoire, ______ connaît deux versions. Dans l'une, ______ dit que le sage a eu la tête coupée pour une telle insolence. Dans l'autre, ______ prétend que le roi et ses conseillers ______ accepté, à condition que le sage compte lui-même les grains sur l'échiquier.

Réponse : du jeu d'échecs

ou – où

	Classe de mots	Truc pour les distinguer	Exemples
ou	Marqueur de relation qui indique un choix.	On peut le remplacer par **ou bien**.	Tu rentres **ou** tu sors ? *Tu rentres **ou bien** tu sors ?*
où	Pronom relatif ou adverbe qui indique un lieu.	On ne peut pas le remplacer par **ou bien**.	C'est la rue **où** j'habite. *C'est la rue ~~**ou bien**~~ j'habite.* **Où** vas-tu ? *~~**Ou bien**~~ vas-tu ?*

Exercice 52 **Complétez par** ou **ou** où.

De quelle fleur parle-t-on ?

Cette plante à bulbe aime le plein soleil _____ les endroits protégés du vent. On en trouve depuis des siècles en Turquie _____ l'on avait l'habitude d'offrir des bulbes en cadeau. Cette vivace a fait la renommée de la Hollande _____ certaines espèces valent des fortunes. Aujourd'hui, c'est encore le pays _____ l'on peut en voir le plus de variétés. On peut planter le bulbe en automne (en septembre _____ en octobre), pour une floraison au printemps, _____ le planter au printemps (en mai _____ en juin), pour une floraison pendant l'été. On choisira de préférence un emplacement _____ le sol est bien irrigué.

Réponse : la tulipe

peu – peut (peux)

	Classe de mots	Truc pour les distinguer	Exemples
peu	Adverbe qui indique une quantité et signifie **pas beaucoup**.	On ne peut pas le remplacer par **pouvait**.	Il a **peu** d'amis. *Il a ~~**pouvait**~~ d'amis.*
peut (peux)	Verbe **pouvoir** à la 3e pers. du sing. de l'indicatif présent (ou à la 1re et 2e pers. du sing. de l'indicatif présent).	On peut le remplacer par **pouvait** (**pouvais**).	Elle **peut** rentrer tard. *Elle **pouvait** rentrer tard.* Je **peux** rentrer tard. *Je **pouvais** rentrer tard.*

Exercice 53 **Complétez par** peu, peut **ou** peux.

De quel appareil parle-t-on ?

Il n'y a pas si longtemps, _______ de gens en avaient chez eux. Aujourd'hui, on _______ le trouver dans presque tous les foyers. Il _______ aussi bien trôner au milieu du salon qu'être oublié dans le sous-sol. Il _______ même traîner dans l'entrée et servir de portemanteau.

On _______ l'utiliser en lisant, en étudiant, en bavardant, en regardant la télévision, _______ importe. Pour _______ que l'on y consacre un _______ de temps et un _______ d'énergie, il _______ nous faire perdre un _______ de poids si l'on en fait régulièrement. Le principe est simple, il _______ se résumer en une phrase : on parcourt beaucoup de kilomètres, mais on voit _______ de paysage ! Ce n'est pas _______ dire, puisque personne ne _______ se déplacer avec cet engin qui, malgré la première partie de son nom, a _______ de chose à voir avec un moyen de transport.

S'il _______ raffermir un _______ les mollets et contribuer au bon fonctionnement du cœur, il est _______ utile pour développer les capacités intellectuelles. Mais à _______ près tout le monde s'accorde pour dire que cet appareil, quoique un _______ encombrant, est à _______ de chose près un remède miracle à tout problème de santé, je _______ le garantir !

Réponse : une bicyclette stationnaire

quel (quels, quelle, quelles) – qu'elle(s)

	Classe de mots	Truc pour les distinguer	Exemples
quel (quels, quelle, quelles)	Déterminant interrogatif ou exclamatif qui s'accorde avec le nom qu'il accompagne.	On ne peut pas le remplacer par **qu'il(s)**.	**Quel** est ce bruit ? ***~~Qu'il~~*** *est ce bruit ?* **Quelle** tempête ! ***~~Qu'il~~*** *tempête !*
qu'elle(s)	- Conjonction + pronom personnel féminin de la 3e pers. du sing. ou du plur. - Pronom relatif + pronom personnel féminin de la 3e pers. du sing. ou du plur.	On peut le remplacer par **qu'il(s)**.	Je crois **qu'elle** boude. *Je crois* ***qu'il*** *boude.* Le livre **qu'elle** lit est nul. *Le livre* ***qu'il*** *lit est nul.*

Exercice 54 **Complétez par** quel (quels, quelle, quelles) **ou** qu'elle(s).

De ________ fable parle-t-on ?

Elle ne se lassait pas de le regarder. « ________ bel animal, pensait-elle. ________ allure, ________ noblesse ! ________ port de tête ! ________ belles manières ! » Elle se disait ________ aimerait bien être comme lui un jour, alors ________ n'était pas plus grosse que n'importe ________ œuf. Il fallait absolument ________ trouve un moyen pour l'égaler, du moins en grosseur. Le succès ________ aurait auprès de ses sœurs serait… ________ mots choisir ? Grandiose ! Incroyable ! Extraordinaire !

Au début, ________ ne fut pas sa joie de constater ________ ne faisait que retenir son souffle et ________ arrivait à grossir un peu. Elle demandait à ses camarades ________ donnent leur avis. ________ que soient ses efforts, lui disaient-elles, il fallait ________ gonfle encore et encore.

« La chétive pécore s'enfla si bien ________ creva. » ________ triste histoire !

Réponse : La grenouille qui veut se faire aussi grosse que le bœuf.

s'en – sans – cent

	Classe de mots	Truc pour les distinguer	Exemples
s'en	Pronom personnel **s'** + pronom **en**.	On peut le remplacer par **se** + le verbe + **de cela**.	Il **s'en** souvient. *Il* ***se*** *souvient* ***de cela****.*
sans	Préposition (contraire de **avec**).	On peut le remplacer par **avec** ou par **qui n'a pas de**.	Je pars **sans** toi. *Je pars* ***avec*** *toi.* Je déteste le café **sans** sucre. *Je déteste le café* ***qui n'a pas de*** *sucre.*
cent	Déterminant numéral.	On peut le remplacer par un autre déterminant numéral (deux, trois, quatre…).	Je te l'ai dit **cent** fois. *Je te l'ai dit* **trois** *fois.*

Exercice 55 **Complétez par** s'en, sans **ou** cent.

De quelle pièce de la maison parle-t-on ?

C'était l'endroit de la maison qui était le plus éclairé. Les grandes fenêtres de devant ont été longtemps ______ rideau. Le plancher ciré, ______ une tache, reflétait le soleil toute la journée.

______ fois par jour – mon frère aîné ______ souvient encore –, ma mère nous demandait de ne pas y laisser traîner nos affaires.

En entrant, à droite, une petite bibliothèque contenait les ______ livres préférés de mon père. Quand on déplaçait un livre par inadvertance, on ______ mordait les doigts, car mon père ______ apercevait à tous les coups.

Sur le mur du fond, au-dessus de la cheminée, ma mère avait accroché la photo de mariage de ses parents et au moins ______ photos de nous.

Réponse : du salon

son – sont

	Classe de mots	Truc pour les distinguer	Exemples
son	Déterminant possessif singulier. Il indique à qui appartient ce dont on parle.	On peut le remplacer par un autre déterminant singulier (un, le, ton...).	Quel est **son** nom ? *Quel est **ton** nom ?*
sont	- Verbe **être** à la 3e pers. du plur. de l'indicatif présent. - Auxiliaire **être** servant à former le passé composé de certains verbes à la 3e pers. du plur.	On peut le remplacer par **étaient**.	Ils **sont** fous ! *Ils **étaient** fous !* Ils **sont** partis. *Ils **étaient** partis.*

Exercice 56 **Complétez par** son **ou** sont.

De quel plat parle-t-on ?

Ingrédients pour quatre personnes : 8 endives, 2 tranches de jambon, 1 tasse de gruyère râpé, 2 tasses de sauce béchamel.

Enlever à chaque endive ______ extrémité dure, faire cuire 10 minutes à l'eau bouillante salée, puis égoutter. Couper chaque endive dans ______ milieu et placer dans un plat à gratin beurré. Saler et poivrer, saupoudrer de gruyère râpé, garnir d'une lanière de jambon, puis recouvrir chaque endive avec l'autre moitié. Quand tous les légumes ______ ainsi parés, verser dessus la sauce béchamel. Cuire au four, à 180° C, pendant environ une demi-heure. Les endives ______ prêtes quand le dessus est bien grillé.

Ce plat est meilleur l'hiver, quand la saison de l'endive bat ______ plein. ______ goût se marie avec du vin rouge ou avec du vin blanc.

Réponse : des endives farcies au jambon.

s'y – si

	Classe de mots	Truc pour les distinguer	Exemples
s'y	Pronom personnel **s'** + pronom personnel ou adverbe **y**.	On peut le remplacer par **m'y** quand on met le verbe à la 1re pers. du sing.	Il **s'y** prend très mal. ***Je m'y prends*** *très mal.*
si	Marqueur de relation qui indique une condition.	On peut le remplacer par **à condition que**.	**Si** la pluie cesse, je sors. ***À condition que*** *la pluie cesse, je sors.*
si	Adverbe qui indique une quantité ou une intensité.	On peut le remplacer par **aussi** ou **tellement**.	Je ne suis pas **si** bête ! *Je ne suis pas* ***aussi*** *bête !*

Exercice 57 **Complétez par** si **ou** s'y.

De quel objet parle-t-on ?

____ le mot qui le désigne ne contenait pas de voyelles, ce serait une taxe.

____ sa dernière lettre était un **r** plutôt qu'un **s**, il désignerait un animal.

____ l'on cherche un synonyme, carpette ou moquette ____ prêtent bien.

____ on le voit devant une porte, on ____ essuie les pieds.

Ceux fabriqués en Perse sont ____ beaux.

____ l'on aime voler, on s'en sert comme moyen de transport.

____ l'on ne veut pas marcher, il peut nous faire rouler.

____ un chien est fatigué, il ____ étend volontiers.

____ un boxeur est KO, il ____ rend aussitôt.

Ceux qui en vendent sont ____ rusés qu'on ne ____ retrouve plus.

Ces derniers sont ____ convaincants qu'ils nous vendraient la Lune.

On ____ laisserait facilement prendre.

Réponse : un tapis

Bilan

Exercice 58 **Complétez par les mots qui conviennent.**

TEST – __________ métier choisir ?
Quel, Qu'elle

Pour chaque énoncé, coche _______ case qui te décrit le mieux :
la, l'a

O pour oui, **N** pour non et **D** pour ______ dépend.
ça, sa

1. Certains aiment le bleu ; quant _____ moi, je préfère le _______.
a, à — ver, vert

2. Je prépare souvent ______ _______ ____________ ________ déjeuner.
a, à — ma, m'a — maire, mer, mère — son, sont

3. Le matin, il faut _____ prendre ______ dix _________ pour me réveiller.
si, s'y — a, à — foi, foie, fois

4. ______ n'est pas ______ moi qu'_______ _____________ des histoires.
Ce, Se — a, à — on, ont — compte, conte

5. ______ ______ n'______ plus de lait, _________ moi qui vais en acheter.
Si, S'y — on, ont — a, à — c'est, s'est

6. ______ ne ________ jamais deviner _____ que je __________.
On, Ont — peu, peut — ce, se — panse, pense

7. Les murs ______ des oreilles, ________ _______ ma devise.
on, ont — c'est, ces — la, là

8. Les amis de ________ amis _________ ________ amis.
s'est, ses — son, sont — mais, mes

9. Il ne faut jamais ________ aller ________ tout fermer à clé.
sans, s'en — sans, s'en

10. Quand ______ ________ trompé, ________ apprend de _______ erreurs.
on, ont — c'est, s'est — on, ont — ces, ses

11. ______ ________ souvent les mêmes qui _______ tort.
Ce, Se — son, sont — on, ont

12. Il ne _____ passe pas un jour ________ que j'aie _________ idées.
se, se — sans, cent — sans, cent

13. Un ________ de lait, ________ bien, ________ deux, ________ mieux.
ver, verre — c'est, s'est — mais, mes — c'est, s'est

O	N	D

14. La ____________ ______ la montagne, ______ m'importe.
mer, mère, maire — ou, où — peu, peut

15. _____ on ______ menti, on ______ mord les doigts.
Si, S'y — ma, m'a — sans, s'en

16. « __________ belle ________ tu as ! » _______ dit ______ amis.
Qu'elle, Quelle — voie, voix — mon, m'ont — mais, mes

17. ________ _________ ______ demandé de sculpter ____ __________.
Mon, M'ont — paire, père — m'a, ma — ça, sa — cane, canne

18. Je vivrais sous la _________ toute l'année ________ me __________.
tante, tente — sans, s'en — lacer, lasser

O	N	D

Exercice 59 **Surlignez en jaune les vingt fautes du texte ci-dessous.**

Résultats

• L'alimentation, le commerce de gros ou de détail
Si tu as répondu *non* a l'énoncé 3 et s'y tu as une majorité de *oui* aux énoncés 5, 6, 8, 9 et 13, tu es à ta place derrière le comptoir d'une épicerie où d'une boulangerie, s'est la que tes qualités pourront s'épanouir.

• Les services, la santé où l'enseignement
Si tu as répondu *non* aux énoncés 3 et 15 et que tu as une majorité de *oui* aux énoncés 2, 5, 8, 10 et 13, médecin, barbier ou enseignant son de bonnes options.

• La sécurité où l'investigation
Si tu as répondu *non* à l'énoncé 8 et que tu as une majorité de *oui* aux énoncés 4, 6, 7, 9, 11 et 15, gardien de nuit où policier t'iraient comme un gant.

• L'écologie ou le plein air
Si tu as répondu *non* a l'énoncé 3 et que tu as deux *oui* sur trois aux énoncés 1, 14 et 18, tu es sur d'être heureux en travaillant a l'extérieur, comme fleuriste ou arpenteur, par exemple.

• Les arts
Si tu as répondu *non* aux énoncés 5 et 9 et que tu as trois *oui* sur quatre aux énoncés 12, 14, 16 et 17, les métiers ou la créativité et l'imagination sans donnent à cœur joie t'iraient très bien : sculpteur, chanteur, sans oublier décorateur.

• Si tu as une majorité de D, tu n'as pas encore trouvé ta voix, mes ces une question de temps.
Il ce peu que tu découvres un peu plus tard qu'elle métier te conviendra le mieux.

La conjugaison

Exercice 1 page 10

Barrer les mots suivants: désir, avenir, abreuvoir, arrosoir, plaisir, je, vert, montagne, vampire, vizir, loisir, cylindre, des, foudre, son, le.

Exercice 2 page 10

Entourer les mots suivants: jardiner, attraper, suivre, avoir, coucher, cueillir, moucher, couper, cacher, permettre, baigner, compter, raconter.

Exercice 3 page 11

Soulignez en vert: plier, étudier, colorier, prêter, défier, acheter, pardonner, ajouter, planter, sauter, sembler, demeurer, rester, glisser, patiner.
Soulignez en bleu: perdre, écrire, paraître, vouloir, fuir, bâtir, dormir, devenir.

Exercice 4 page 11

Pleur**er**, roul**er**, rapport**er**, roug**ir**, compren**dre**, cro**ire**, cour**ir**, constru**ire**, copi**er**, ski**er**, demand**er**, attrap**er**, écri**re**, dev**oir**, chois**ir**, ass**eoir**, met**tre**, reven**ir**, accept**er**, per**dre**, connaît**re**, fai**re**, commenc**er**, discut**er**.

Exercice 5 page 12

Grond/**er**, je grond/**erai**, vous grond/**eriez**, expliqu/**er**, ils expliqu/**ent**, nous expliqu/**ons**, pun/**ir**, tu pun/**iras**, elle pun/**it**, vend/**re**, je vend/**s**, nous vend/**ions**.

Exercice 6 page 12

Chant/**er**, chant/**e**, chant/**erai**, chant/**ais**, chant/**ions**, chant/**aient**, chant/**ait**, chant/**e**, chant/**erait**, chant/**a**, chant/**ez**, chant/**iez**.

Exercice 7 page 13

Vouloir, observer, suivre, apprendre, partir, finir, craindre, refuser, devoir, chercher, rester, mettre.

Exercice 8 page 13

Entourer les verbes suivants: parle, fait, considère, exerça, surnommait, préférait, doit, travaille, écrivait, enregistrait.

Exercice 9 page 14

Je cours, **j'**arrive (je, j') → La personne qui parle. **Nous** courons (nous) → Les personnes qui parlent. **Il** court (il) → La personne de qui l'on parle. **Elles** courent (elles) → Les personnes de qui l'on parle. **Tu** cours (tu) → La personne à qui l'on parle. **Elle** court (elle) → La personne de qui l'on parle. **Ils** courent (ils) → Les personnes de qui l'on parle. **Vous** courez (vous) → Les personnes à qui l'on parle.

Exercice 10 page 15

	1re pers.	2e pers.	3e pers.	Singulier	Pluriel
Tu contrôles bien le jeu.		x		x	
Elle tirait au panier.			x	x	
Nous miserons sur l'attaque.	x				x
Vous avez dribblé à merveille.		x			x
Ils misent sur la défense.			x		x
Vous marquez trois points.		x			x
Tu triches!		x		x	
Nous voudrions revoir le jeu.	x				x
J'aime jouer sous la pression.	x			x	
Il commet toujours la même faute.			x	x	
L'arbitre exagère.			x	x	
Léa et Caro sont les meilleures.			x		x
Notre entraîneur crie un peu fort.			x	x	
Sarah donne toujours son «110%».			x	x	
Pierre a raté un panier facile.			x	x	
Elles ont déclaré forfait.			x		x
Nous vaincrons!	x				x

Exercice 11 page 16

Je nage le papillon depuis peu. **Tu** dors ou quoi? **Il** (ou **Elle**) impressionne son entraîneur. **Nous** plongerons du 5 mètres. **Vous** me ferez une vrille. **J'**ai perdu la course. **Ils** sont dominants à la brasse. **Il** (ou **Elle**) a fait son pire chrono. **Ils** (ou **Elles**) perdent du temps aux virages.

Corrigé

Exercice 12 page 16
a) Elles. b) Il. c) Elle. d) Vous. e) Nous. f) Elles. g) Ils.

Exercice 13 page 17
a) Indicatif. b) Subjonctif. c) Impératif. d) Impératif. e) Indicatif. f) Subjonctif. g) Indicatif. h) Indicatif. i) Indicatif. j) Indicatif.

Exercice 14 page 18
Entourer en bleu (temps simples): devient, convertit, prend, ravit, conservera, opposait, resteront, considère.
Entourer en vert (temps composés): a vu, a perdu, avait refusé, est redevenu, a enlevé, a donné.

Exercice 15 page 19
Je, **il**, **elle** chante. **Tu** arrives. **Nous** terminons. **Ils**, **elles** tombent. **Vous** aimez. **Il**, **elle** a. **Je**, **tu**, réussis. **Il**, **elle** peut. **Il**, **elle** est.
Tu es. **J'**, **tu** apprends. **Il**, **elle** rend.

Exercice 16 page 19
Je détest**e**. J'oubli**e**. Je veu**x**. Je comprend**s**. Je reçoi**s**. Je cour**s**. Je rougi**s**. J'écri**s**. J'apprend**s**. Je peu**x**. Je fui**s**. Je met**s**.

Exercice 17 page 19
Tu chant**es**. Tu fini**s**. Tu ski**es**. Tu comprend**s**. Tu vien**s**. Tu peu**x**. Tu rougi**s**. Tu reçoi**s**. Tu cour**s**. Tu doi**s**. Tu di**s**. Tu fai**s**.

Exercice 18 page 20
Il march**e**. Elle vien**t**. Il comprend. Il fini**t**. Elle décri**t**. On per**d**. Elle me**t**. On aperçoi**t**. Il fui**t**. Elle cour**t**. On voi**t**. Il ren**d**.

Exercice 19 page 20
Tu **sautes**. Nous **comprenons**. Je **rends**. Il **vient**. Vous **revenez**. Ils **préviennent**. Je **reçois**. Nous **décevons**. Ils **aperçoivent**.
Il **grandit**. Vous **finissez**. Il **veut**.

Exercice 20 page 20
A, a, ont, est, est, sommes, avons, sommes, sommes, êtes, avez, êtes, êtes, suis, suis, est, es, as, sont, es, as, sont.

Exercice 21 pages 21-22
1. fait, penses, veut, peut. 2. se blesse, composes, cherches. 3. parlez. 4. revient, saute, semble. 5. rencontrons, devons, devons.
6. existe, mérite. 7. annonce, partez, dors, passe, dort, dors, as. 8. veulent, demandent, vient, réponds, veux. 9. est, demeure, demeurent.
10. sonne, dis, cours, démonte, cloche. 11. arrive, prends, fais. 12. fait, jaillit.

Exercice 22 page 23
Entourer les mots suivants: exprime, indique, a lieu, parle, boude, parle, arrivent, fait, est, dis, a, emploie, sont, affirme, tourne, est, affirme.

Exercice 23 page 23
Exemples de réponses: a) Ce matin, mon frère **lave** sa voiture. b) Mon frère **lave** sa voiture le jeudi. c) Mon frère **lave** lui-même sa voiture.

Exercice 24 page 24
Je, **tu** chantais. **Nous** riions. **Ils**, **elles** tombaient. **Vous** alliez. **Je**, **tu** réussissais. **Il**, **elle** pouvait. **Ils**, **elles** voulaient. **Il**, **elle** était.
J', **tu** étais. **J'**, **tu** apprenais. **Il**, **elle** mettait. **Je**, **tu** rendais.

Exercice 25 page 24
Je détest**ais**. Tu finiss**ais**. Il march**ait**. Nous compren**ions**. Vous oubli**iez**. Elles voul**aient**. Je recev**ais**. Elle cour**ait**.
Nous écriv**ions**. Vous pouv**iez**. Tu vend**ais**. Vous ven**iez**. Ils rougiss**aient**. Tu dis**ais**. Je fais**ais**. Nous ski**ions**. Elle rend**ait**.
Je mett**ais**. Tu ét**ais**. J'av**ais**.

Exercice 26 page 24
Tu **sautais**. Nous **comprenions**. Je **prenais**. Il **venait**. Vous **reveniez**. Ils **prévenaient**. Je **recevais**. Nous **voulions**. Vous **riiez**.
Il **grandissait**. Vous **oubliiez**. Il **mettait**.

Exercice 27 page 25
Était, étaient, étions, étais, étiez, avais, aviez, était, était, étaient, avait.

Exercice 28 page 25
Faisait, lisaient, attendais, attendais, cognais, couchions, continuait.

Exercice 29 page 26
Entourer les mots suivants: 1. était, mangeaient, existait, servaient. 2. déroulaient, duraient, disais, étais, rongeais. 3. répétaient, faisait, pratiquait.

Exercice 30 page 26
Exemples de réponses: a) L'an passé, mon frère ne **lavait** jamais sa voiture. b) Quand j'**étais** malade, mon frère **lavait** ma voiture.
c) L'an passé, tous les jeudis, mon frère **lavait** sa voiture.

Exercice 31 page 27

Tu chanteras. **Nous** rirons. **Ils, elles** termineront. **Je** tomberai. **Vous** irez. **Ils, elles** auront. **Il, elle** réussira. **Il, elle** pourra. **Nous** voudrons. **Nous** serons. **Tu** sauras. **J'**aurai.

Exercice 32 page 27

Je déteste**rai**. Tu fini**ras**. Il marche**ra**. Vous oublie**rez**. Elles voud**ront**. Je recev**rai**. Nous écri**rons**. Vous pour**rez**. Tu vend**ras**. Vous viend**rez**. Ils rougi**ront**. Tu oublie**ras**. Je pour**rai**. Elle rend**ra**. Je met**trai**. Tu arrive**ras**.

Exercice 33 page 27

Tu **sauteras**. Nous **comprendrons**. Je **finirai**. Il **pourra**. Vous **oublierez**. Ils **viendront**. Je **recevrai**. Nous **voudrons**. Vous **rirez**.

Exercice 34 page 28

Sera, seront, auront, serez, sera, aurez, sera, aura, serai, serons, aurons, seras, auras.

Exercice 35 page 28

Instaurera, fermeront, sortirez, apporterez, se montrera, participerons, resterai, informerai, dirai, dérangeras, pourras, reviendrai.

Exercice 36 page 29

Entourer les mots suivants: 1. situera, rangerai, voudra, sera. 2. utilisera, feras, sera, exécutera. 3. emploiera, aimeront, raffoleront.

Exercice 37 page 29

Exemples de réponses: a) Tout à l'heure, mon frère **lavera** sa voiture. b) Luc, tu **laveras** la voiture.
c) Mon frère **aimera** toujours les voitures.

Exercice 38 page 30

Je, tu chanterais. **Nous** ririons. **Il, elle** tomberait. **Ils, elles** auraient. **Je, tu** réussirais. **Nous** voudrions. **Nous** serions. **Je, tu** crierais. **Vous** apprendriez. **Ils, elles** mettraient. **Je, tu** saurais. **J', tu** aurais.

Exercice 39 page 30

Je déteste**rais**. Tu fini**rais**. Il marche**rait**. Elles voud**raient**. Je recev**rais**. Elle cour**rait**. Nous écri**rions**. Vous pour**riez**. Tu vend**rais**. Vous viend**riez**. Ils rougi**raient**. Tu oublie**rais**. Je pour**rais**. Elle rend**rait**. Je met**trais**. Tu arrive**rais**.

Exercice 40 page 30

Tu **sauterais**. Vous **comprendriez**. Je **finirais**. Il **pourrait**. Vous **oublieriez**. Ils **viendraient**. Je **recevrais**. Nous **voudrions**. Vous **ririez**.

Exercice 41 page 31

a) serais, passerais. b) oseriez. c) serait, aurais. d) dirais, devriez.

Exercice 42 page 31

Entourer les mots suivants: 1. aimerais, voudrait. 2. ferais, pourrais. 3. serait, voudrais.

Exercice 43 page 31

Exemple de réponse: Je **laverais** bien la voiture de mon frère, mais je n'ai vraiment pas le temps.

Exercice 44 page 32

Entourer le verbe **marcher**.

Exercice 45 page 32

J'**ai** aimé. Tu **as** fini. Il **a** voulu. Nous **avons** oublié. Vous **avez** été. Ils **ont** eu. Je **suis** parti. Tu **es** sorti (ou Tu **as** sorti). Il **est** venu. Vous **êtes** restés. Ils **sont** rentrés (ou Ils **ont** rentré). Nous **sommes** arrivés.

Exercice 46 page 32

Acheter, demander, finir, dormir, mentir, connaître, rendre, battre, venir, recevoir, prendre, mettre, écrire, faire, dire, naître, ouvrir, couvrir.

Exercice 47 page 33

J'ai **chanté**. Nous avons **réussi**. Tu as **pu**. Elle a **fini**. Ils ont **voulu**. Tu as **bougé**. Je suis **arrivé**. J'ai **reçu**. Elles ont **rendu**. Tu as **battu**. Elles ont **pris**. J'ai **mis**. Vous avez **fait**. Il a **dit**. Tu as **ouvert**. Elle a **couru**.

Exercice 48 page 33

Elle est venu**e**. Il est parti. Nous sommes tombé**s**. Vous êtes rentré**s** à pied. Elles sont resté**es** là-bas. Ils ont gagné. Elle a compris. Nous avons ouvert. Il a rangé tes affaires. Tes affaires, il les a rangé**es**.

Exercice 49 page 34

A fait, a offert, a refusé, avez eu, avons été, ont semblé, a saisi, a secoués, ont cassé, est parti, avons appris, ont attrapé.

Exercice 50 page 34

Entourer les verbes suivants: ont eu lieu, a frappé, a eu lieu, ai entendu, a sonné, a retenti.

Exercice 51 page 34

Exemple de réponse: Pendant mon absence, mon frère **a lavé** ma voiture.

Exercice 52 page 35

J'**avais aimé**. Tu **avais fini**. Il **avait voulu**. Nous **avions oublié**. Vous **aviez été**. Ils **avaient eu**. J'**étais parti**. Tu **étais sorti** (ou Tu **avais sorti**).
Il **était venu**. Vous **étiez restés**. Ils **étaient rentrés** (ou Ils **avaient rentré**). Nous **étions arrivés**.

Exercice 53 page 35

Entourer les verbes suivants: avaient eu lieu, était partie, avait eu lieu, avions voulu, avais dit.

Exercice 54 page 35

Exemple de réponse: Mon frère **avait lavé** ma voiture avant que j'arrive.

Exercice 55 page 36

Aim**e**, met**s**, étudi**e**, di**s**, comprend**s**, vien**s**, cour**s**, fui**s**, écri**s**, par**s**.

Exercice 56 page 36

Écoute, écoutons, écoutez; rends, rendons, rendez; finis, finissons, finissez; reviens, revenons, revenez.

Exercice 57 page 36

Entourer les verbes suivants: Faites, Prenez, Sauvons, Retirez, marchez, Sonnez, entrez.

Exercice 58 page 37

Que je détest**e**, que tu finiss**es**, qu'il march**e**, que vous ay**ez**, que vous oubli**iez**, que je reçoiv**e**, que nous soy**ons**, que nous compren**ions**,
qu'elle cour**e**, que tu dis**es**, qu'elle mett**e**, que tu sort**es**.

Exercice 59 page 37

Que tu **sautes**, que nous **prenions**, qu'il **vienne**, que tu **reçoives**, que nous **voulions**, que je **mette**.

Exercice 60 page 37

Exemples de réponses: a) reviennes. b) déménagiez. c) finisse. d) partent. e) reste.

Exercice 61 page 38

Il march**a**. Elle reç**ut**. Il compr**it**. Il roug**it**. Elles écout**èrent**. Ils aperç**urent**. Elles pâl**irent**. Elles cour**urent**.

Exercice 62 page 38

Indicatif présent: tu **vas**, vous **allez**. Indicatif futur simple: il **ira**, nous **irons**, ils **iront**. Indicatif conditionnel présent: j'**irais**, vous **iriez**, ils **iraient**.
Impératif présent: **allons**.

Exercice 63 page 39

Indicatif présent: je couvr**e**, tu découvr**es**, il souffr**e**. Indicatif futur simple: je cueill**erai**, tu accueill**eras**, il recueill**era**. Indicatif conditionnel présent:
je cueill**erais**, tu accueill**erais**, il recueill**erait**. Impératif présent: ouvr**e** (ou ouvr**ons**, ouvr**ez**), offr**ons** (ou offr**e**, offr**ez**), cueill**ez** (ou cueill**e**, cueill**ons**).

Exercice 64 page 39

Indicatif présent: je mang**e**, tu nag**es**, il dirig**e**, nous déménag**eons**, vous interrog**ez**, ils partag**ent**. Indicatif imparfait: je voyag**eais**, tu échang**eais**,
il song**eait**, nous arrang**ions**, vous exig**iez**, ils allong**eaient**. Impératif présent: plong**e** (ou plong**eons**, plong**ez**), dégag**eons** (ou dégag**e**, dégag**ez**),
oblig**e** (ou oblig**eons**, oblig**ez**).

Exercice 65 page 39

J'avan**c**e, nous enfon**ç**ons, il dépla**ç**ait, tu effa**c**es, tu exer**ç**ais.

Exercice 66 page 40

Il, elle reçoit (1). **Vous** vendiez (2). **Ils, elles** ont gagné (5). **Vous** êtes nés (5). **Ils, elles** pourront (3). **Il, elle** tombera (3). **Vous** aviez (2).
Tu es (1). **Nous** comprenons (1). Que **je, tu** sois (7). **Je** vais (1). **Il, elle** marcha (8). **Ils, elles** skieront (3). **Je, tu** pouvais (2). Qu'**il**, qu'**elle** ait (7).
Je, tu voudrais (4). **Tu** seras (3). **Tu** arrives (1). **Ils, elles** perdaient (2). **Je, tu** peux (1). **Il, elle** est (1).
Il, elle met (1). **Vous** voudrez (3). **Je, tu** sautais (2). **Il, elle** a (1). Que **tu** partes (7). **Il, elle** eut (8). **Ils, elles** seraient (4). **Je** finirai (3).
Il, elle part (1). **J', tu** écris (1). **Je, tu** dors (1). **Ils, elles** avancent (1). **Nous** voudrions (4). **J', tu** avais lu (6). **Ils, elles** trouvent (1). **J'**ai été (5).
Il, elle rangeait (2). **Je, tu** réussissais (2). **Je** suis parti (5). **Ils, elles** finissent (1). **J', il, elle** oublie (1). **Tu** as eu (5). **Je, tu** sors (1). **J', tu** oublierais (4).
Il, elle avait fait (6). **Je, il, elle** monte (1). **J', tu** aurais (4). **Il, elle** rend (1). **Vous** avez fini (5). **J', tu** étais (2). **Vous** criez (1). **Nous** serions (4).
Tu as (1). **Nous** nageons (1). **Nous** skiions (2).

La phrase

Exercice 1 pages 42-43

Entourer: Silence on tourne! Il est défendu de se baigner dans le lac! Zone d'hôpital, veuillez ne pas faire de bruit. Faites attention à la marche! Il est interdit de nourrir les animaux. Le magasin sera fermé durant tout le week-end. Le match commencera à 20 h 00. J'ai six chatons à donner. Cet appareil accepte les pièces de un dollar. Après le bip sonore, dictez votre message.

Exercice 2 page 43

a) Attachez votre ceinture! b) Cette voie est réservée aux autobus. c) Allumez vos phares dans le tunnel. d) Le port des patins à roues alignées est toléré dans le magasin.

Exercice 3 page 43

La vitesse est limitée à 60 km à l'heure. On signale une congestion sur l'autoroute 40. La chaussée est glissante sur 5 km. Le stationnement est réservé à notre clientèle. Les chiens sont tolérés ici.

Exercice 4 page 44

Dévalez les pentes sans manquer un seul appel!

Gardez le contact! Combinez votre forfait avec le service «renvoi automatique». Faites suivre tous vos appels de la maison à votre téléphone mobile. Ainsi, vous êtes certain d'être joignable en tout temps, peu importe où vous êtes ou ce que vous faites.

Vous êtes déjà abonné? Profitez-en pour tirer le meilleur parti de votre forfait en vous assurant de ne jamais manquer un appel important!

Pour savoir comment maximiser l'utilisation de votre téléphone mobile à l'aide du service «renvoi automatique», contactez un représentant du service à la clientèle. Cette offre se termine le 31 mars.

Exercice 5 page 44

Vous devriez lire les informations suivantes avant d'utiliser votre téléphone mobile. **L**es téléphones mobiles peuvent causer des parasites. **É**teignez votre appareil quand vous êtes dans un hôpital. **I**l est interdit de se servir d'un téléphone cellulaire dans un avion. **A**llumer son téléphone cellulaire près de produits chimiques est dangereux. **N**'utilisez pas votre téléphone quand vous conduisez un véhicule. **U**n téléphone cellulaire allumé peut nuire à la réception des images d'un téléviseur.

Exercice 6 page 45

a) La cafétéria ouvre à 12 h 00. b) Le 25 mars sera une journée pédagogique. c) Je suis disponible pour garder des enfants. d) Faites attention à la marche! e) Aimez-vous jouer au basket? f) La circulation est fluide. g) Le port du casque est obligatoire.

Exercice 7 page 45

Exemples de réponses: a) Les cours de maths sont annulés cette semaine. b) La bibliothèque sera ouverte toute la journée. c) Nous avons gagné les tournois de basket-ball pendant toute l'année. d) Éteignez vos cellulaires avant d'entrer en classe.

Exercice 8 pages 46-47

a) mon mécanicien. b) Ce carburateur. c) Les enjoliveurs. d) Samuel. e) Nous. f) Rouler à gauche. g) Tout.

Exercice 9 page 47

a) Je. b) L'autoroute. c) Cette voiture. d) Tourner à droite.

Exercice 10 page 48

Surligner: la voiture rouge, des ailes aérodynamiques, son père, un vieux taxi jaune, une moto qui dérape, une chaussée mouillée et glissante, Lucie, mon cher Pierre, sa roue de secours.

Exercice 11 page 48

a) Sarah. b) La voiture. c) La vieille voiture grise. d) La voiture du voisin. e) La vieille voiture. f) La voiture qui fume. g) Mon mécanicien. h) Le vieux garagiste du coin. i) La portière arrière de sa voiture. j) Ce radiateur qui fuit. k) Nicolas. l) Le réservoir d'essence.

Exercice 12 page 49

Exemples de réponses: a) Charles... b) Le moteur… c) La voiture rouge… d) La voiture de Jérémie… e) La voiture qui a été remorquée...

Exercice 13 page 49

Entourer: a) Suzuki. b) Les constructeurs automobiles. c) La première voiture. d) La première voiture produite en série. e) La compagnie Michelin. f) Toutes les voitures. g) L'axe qui permet de diriger le véhicule.

Exercice 14 page 50

Surligner: aucun, ceux-ci, celui que j'aime, celle de son père, lesquelles, certains de ces pneus, vous, le mien, je.

Exercice 15 page 51

Entourer: a) Celle-ci. b) Celle du milieu. c) Celle qui est à gauche. d) Elles. e) La sienne. f) Celui qui conduit. g) Il. h) Quelques-uns de mes amis.

Exercice 16 page 51

Exemples de réponses: a) Il… b) Celle de droite… c) Celle qui est toujours en retard…

Exercice 17 page 51

Entourer: h) Tu. i) C'. j) Ce. k) Ceux de cinquante chevaux.

Exercice 18 page 52

Surligner: allumer les phares, dépasser, rouler à vive allure, respecter les limites de vitesse, freiner brusquement, appuyer sur l'accélérateur.

Exercice 19 page 52

Entourer: a) Stationner. b) Stationner ici. c) Stationner sa voiture. d) Stationner dans cette rue. e) Réparer ce moteur. f) Changer les pneus. g) Rouler à gauche. h) Klaxonner bruyamment.

Exercice 20 page 52

Entourer: e) Fabriquer des pneus. f) Rouler à l'essence sans plomb. h) Conduire une voiture. k) Construire des moteurs de plus de cinquante chevaux.

Exercice 21 page 53

Je suis → **être**, ils réussissent → **réussir**, tu voyais → **voir**, il regardait → **regarder**, nous ramerions → **ramer**, nous avons → **avoir**, j'apprends → **apprendre**, ils tourneront → **tourner**, vous avez cru → **croire**.

Exercice 22 page 54

Exemples de réponses: rendre → **je rends**, devoir → **tu devais**, aller → **il ira**, parfumer → **nous parfumons**, parler → **vous parliez**, sentir → **elles sentaient**, demeurer → **je demeure**, pencher → **tu penches**, dire → **elle dit**, finir → **nous finissions**, avoir → **vous avez**, être → **ils sont**.

Exercice 23 page 54

Entourer: A – suis, navigue, suis, désigne, vient, écrit, peut. B – appelle, figure, utilisent, est, nomment, appellent, viendrait, signifie.

Exercice 24 page 55

Un site bourré d'informations sur la musique hip hop. Les chroniques, les interviews et les dossiers [abondent]. Les amateurs [apprécieront].

Exercice 25 page 55

Exemple de réponse: L'écran de mon ordinateur **clignote**.

Exercice 26 page 55

a) Jérémie [parle doucement]. b) Jérémie [parle bruyamment]. c) Agathe et Simon [voyagent beaucoup]. d) Le technicien [travaillait silencieusement]. e) Ton modem [fonctionne lentement]. f) Il proteste [énergiquement].

Exercice 27 page 55

Un site sur tous les styles de musique. De nombreuses discographies, des extraits d'albums, des liens. Ce site [se renouvelle fréquemment]. Les visiteurs [apprécieront énormément].

Exercice 28 page 55

Exemple de réponse: Les ordinateurs **fonctionnent silencieusement**.

Exercice 29 page 56

a) Sam [voudrait un ordinateur plus performant]. b) Félix [nous aidera].
c) Un virus [a infecté mon disque dur]. d) Mon cousin [déteste envoyer des courriels].
e) Ce programmeur [a trié mes fichiers]. f) Les premiers ordinateurs [pesaient une tonne]. g) Ce site Internet [m'ennuie]. h) Je devrais [vider la corbeille].

Exercice 30 page 56

Site très intéressant sur le cinéma. Il [présente tous les films]. Il [offre des dossiers complets]. Il [contient d'excellentes critiques de films]. Les cinéphiles [pourront naviguer à cœur joie].

Exercice 31 page 56

Exemple de réponse: Les sites sur le cinéma **présentent toutes les nouveautés**.

Exercice 32 page 57

a) Sébastien parle de ses problèmes informatiques. b) David va au Brésil.
c) Je téléphonerai à tout le monde. d) Mon équipe croit à la victoire.
e) Cet informaticien habite à Longueuil. f) Tous se méfient des virus.
g) Tu penseras à moi. h) Je lui écrirai.

Exercice 33 page 57

Une adresse à conserver en signet. Ce site s'adresse aux amateurs de sciences. Il leur fournira des dossiers scientifiques très complets.

Exercice 34 page 57

Exemple de réponse: L'un de mes amis **parlera à ton père**.

Exercice 35 page 58

a) La responsable de l'informatique est absente. b) Ce site est celui que je préfère. c) Cette adresse électronique semble incomplète. d) Cet ordinateur portable est le sien. e) Mon logiciel antivirus devient inefficace. f) Ce site paraît excellent.
g) Cette page Web est en construction. h) Consulter Internet demeure mon passe-temps préféré.

Exercice 36 page 58

Pour les amateurs de jeux électroniques, ce site est incontournable. Tous les jeux pour PC et Consol sont répertoriés. Les codes pour progresser dans les jeux sont tous présents. Le site est en anglais, mais il demeure facile à comprendre.

Exercice 37 page 58

Exemple de réponse: Cette machine **reste silencieuse**.

Exercice 38 page 59

a) depuis un an. b) Dans ma classe d'informatique. c) Demain. d) pour me raconter ton voyage. e) en appuyant sur la mauvaise touche. f) en faisant un bruit bizarre.

Exercice 39 page 60

a) Dans quelques jours (comp. de p.), je (GS) t'enverrai un courriel (GV). b) Mon disque dur (GS) est endommagé (GV) depuis trois mois (comp. de p.). c) J' (GS) ai acheté cette imprimante (GV) dans une vente de garage (comp. de p.). d) Simon (GS) téléphone à son cousin (GV) pour avoir de bonnes adresses Internet (comp. de p.). e) Sans faire exprès (comp. de p.), elle (GS) avait effacé tous ses fichiers (GV). f) Demain (comp. de p.), je (GS) vais à Québec (GV) en voiture (comp. de p.). g) Tu (GS) ne trouveras rien (GV) en cherchant sur ce site (comp. de p.).

Exercice 40 page 60

Entourer: Dans ce site consacré à la cuisine, En quelques clics de souris, En visitant ce site, pour jouer gratuitement à toutes sortes de jeux, Sans avoir besoin de télécharger.

Exercice 41 page 60

Exemple de réponse: Ma sœur a installé un nouveau logiciel **hier après-midi**.

Exercice 42 page 61

Cocher: Un Grand Prix de F1 dure deux heures. Dix-sept Grands Prix de F1 existent dans le monde. En 1909, Victor Hémery dépassa 200 km/h. Depuis 1997, les voitures sont équipées d'une «boîte noire». Un moteur de F1 peut atteindre une vitesse de 1 200 km/h. Le circuit du Grand Prix du Canada est à Montréal.

Exercice 43 page 62

a) Les combinaisons des pilotes de F1 (GS) peuvent résister à une flamme de 800 ºC (GV) pendant douze secondes (comp. de p.)! b) Les boîtes noires des voitures (GS) enregistrent les données d'un accident (GV).
c) Michael Schumacher (GS) est né en 1969 (GV). d) Le Circuit Gilles-Villeneuve (GS) mesure 4 kilomètres (GV).

Exercice 44 page 62

Encadrer en vert (GS): a) les mécaniciens. b) la première course automobile. c) Le circuit du Grand Prix de Belgique. d) Mika Häkkinen. Encadrer en bleu (GV): a) sont indispensables. b) a provoqué un enthousiasme délirant. c) mesure 7 kilomètres. d) est né en 1968. Encadrer en jaune (comp. de p.): a) Dans un Grand Prix de F1. b) En 1894.

Exercice 45 page 63

Souligner: Connais-tu Gilles Villeneuve? Quel sport pratiquait-il? Comment s'appelle son fils? Mais sais-tu dans quelle ville du Québec? Et sais-tu en quelle année? Quelle était cette discipline?

Exercice 46 page 64

a) **Participerez-vous** au Grand Prix de Melbourne, en Australie? b) **Sommes-nous** près du paddock? c) **Prend-il** la tête du peloton dès le premier tour? d) **Montera-t-il** sur le podium? e) **Faites-vous** partie de la même écurie? f) **Oublie-t-il** les conseils de son mécanicien?

Exercice 47 page 65

a) **Est-ce que** David Coulthard appartient à l'écurie Williams-BMW? b) **Pourquo**i freine-**t-il** brusquement? c) **Quand** commence la course? ou **Quand** la course commence-**t-elle?** d) **Où** les voitures prennent-**elles** le départ?

Exercice 48 page 65

a) **Où** est la voiture de Jacques Villeneuve ? b) **Quand** se termine la course ? ou **Quand** la course se termine-**t-elle?** c) **Pourquoi** abandonne-**t-il** la course ? d) **Où** est situé le circuit du Grand Prix du Brésil ? ou **Où** le circuit du Grand Prix du Brésil est-**il** situé ? e) **Pourquoi** freine-**t-il?**

Exercice 49 page 66

Surligner: «Jacques, ce n'est pas un deux de pique!» Pour la plupart des commentateurs, ce fut une course mémorable! Il avait, la veille, fait une course de qualification à vous couper le souffle! Ce fut extraordinaire! «Moi, je n'avais pas l'impression d'aller vite!» Ses coéquipiers n'en revenaient tout simplement pas! Comme son père aurait été fier!

Exercice 50 page 66

a) Y a-t-il des blessés? b) C'est un miracle! c) Pour quelle écurie Ralph Schumacher court-il? d) La voiture quitte la piste, quelle horreur! e) Cette courbe m'a donné la chair de poule! f) Combien de centièmes de seconde séparent les deux coureurs?

Exercice 51 page 67

Souligner: Ne recommencez pas! Rejoignez votre stand immédiatement! Ne le dépassez pas. Gardez votre position. Ralentissez et retournez à votre stand. Réduisez votre vitesse. Soyez prudent!

Exercice 52 page 68

Souligner: Quel est votre nom? On a trouvé des objets volés chez vous. Comment expliquez-vous cela? Je veux voir un avocat. On vous a pris la main dans le sac. Ramenez-moi chez moi immédiatement! Nous aussi, on voudrait bien rentrer chez nous. Avouez donc tout de suite. On pourra tous rentrer plus vite.

Exercice 53 page 69

Souligner: Je ne dirai pas un mot. Ne jouez pas au plus fin avec moi! Un avocat ne changera rien à cela. Ce n'est pas vrai! Ce n'est pas moi le coupable. Je n'ai rien fait! Je n'avouerai jamais!

Exercice 54 page 69

a) Je ne comprends pas ce que vous voulez dire. b) Vous n'êtes pas très coopératif. c) Je ne peux plus vous faire confiance.
d) Ne répétez jamais cela à mes collègues. e) Je ne répondrai pas à vos questions. f) Tu ne vas pas le dénoncer.

Exercice 55 page 69

a) Il n'a pas parlé. b) Vous n'avez pas avoué. c) Nous n'avons rien regretté. d) Tu n'as pas gardé le silence. e) Elsa n'a pas su y faire. f) L'inspecteur n'a rien compris.

Exercice 56 page 70

a) Cet homme **ne** ment **jamais**. b) **Ne** fouillez **pas** cette pièce! c) **N'**oubliez **jamais** ce que je viens de dire. d) Il **n'a pas** reconnu ses torts. e) L'inspecteur **ne** le regardait **plus** d'un air menaçant.

Exercice 57 page 70

a) **Ne** me racontez pas d'histoires! b) Il **n'**a rien compris. c) **Ce n'**est jamais de ta faute.

Exercice 58 pages 71-72

1re partie: a) A, E, F, G. b) G, H. c) D, I. d) B, C, D, E, F, I. e) A, B, C, D, E, G, H. f) Non. g) F, I. h) D, E, F. i) B.

2e partie: a) J – On **n'**a pas... L – Un automobiliste peut-il… M – … indique-**t**-elle un sens unique? b) Souligner en vert (GS): les voitures.
Souligner en bleu (GV): peuvent rouler à moins de 60 km / h. Entourer: Sur les autoroutes. c) déclarative. d) Surligner: O – Cédez le passage.
Ne cédez pas le passage. P – Tournez à droite. Allez tout droit. e) Non. f) Surligner: L, M, N, O (Que signifie le panneau rouge en forme de triangle?),
P (Que signifie le panneau contenant une flèche pointée vers le haut à l'intérieur d'un cercle vert?). g) Souligner: J, O (Ne cédez pas le passage.).

Les pronoms

Exercice 1 pages 75-76

a) ils. b) elle. c) eux. d) Celles-ci. e) celui-ci. f) la. g) Ils; lui. h) elle. i) ils; la. j) les. k) Il; celui-ci; le. l) lui; lui; Celle-ci; elle.

Exercice 2 page 77

Remus et Romulus → Ils, ceux-ci, les, eux, en, les, ils, les, ils. Amulius → il. Une louve → elle.
Le serviteur → Il. Un couple de bergers → il. La rive du fleuve → où, y. Une ville → qui.

Exercice 3 page 78

un être humain → celui-ci. sa proie → celle-ci. loup → celui-ci. sa ration → en. Le chien → lui, il.
sa pâtée → la, la, la. Les louveteaux → ils, ils, ils. des loups → ceux-ci.

Exercice 4 page 79

Il, la, Il, Il, celui-ci, Il, Ceux-ci, le, lui, lui, lui, il, eux.

Exercice 5 page 80

En bleu (avec antécédent): les pronoms soulignés deux fois. En vert (sans antécédent): les pronoms en gras.
Il existe un mythe étrange à propos des loups, celui des loups-garous. La croyance en ces créatures extraordinaires remonte à la naissance de l'humanité. **On** la rencontre dans beaucoup de légendes chez de nombreux peuples, elle est toujours liée à l'influence du mal.

Le loup-garou est un homme transformé en loup, soit par ses propres forces, soit parce qu'**on** lui a jeté un sort. Les nuits de pleine lune, il erre dans les campagnes à la recherche de chair humaine. Il a toutes les caractéristiques de la bête, mais d'anciens récits **nous** apprennent qu'il garde son regard humain et sa voix. Dès le lever du soleil, il reprend sa forme humaine. **Certains** racontent cependant qu'il conserve des traits inquiétants. Ses sourcils sont très épais et ils sont réunis au-dessus du nez. Ses oreilles sont situées vers l'arrière de la tête et elles sont légèrement pointues. Ses mains et ses pieds sont velus.

Toutes les traditions **nous** rapportent qu'**il** n'est pas facile d'échapper à un loup-garou quand celui-ci est à nos trousses. D'abord, **il** faut porter sur **soi** un trèfle à quatre feuilles. Ensuite, **on** doit lui tirer une balle de fusil, mais pas n'importe laquelle. Celle-ci doit absolument être en argent et elle doit avoir été bénie dans une chapelle consacrée à saint Hubert, le patron des chasseurs.

Exercice 6 page 82

b) Elle. c) Ils. d) Nous. e) Elles. f) Ils. g) Vous. h) lui. i) elle. j) eux. k) Je. l) Tu. m) Vous.

Exercice 7 page 83

a) les Schtroumpfs. b) Iznogoud. c) Tintin. d) sa couverture. e) Spirou. f) Obélix. g) Moulinsart.

Exercice 8 page 83

Je saute, **j**'accours (je, j') → La personne qui parle. **Nous** sautons (nous) → Les personnes qui parlent. **Il** saute (il) → La personne de qui l'on parle. **Elles** sautent (elles) → Les personnes de qui l'on parle. **Tu** sautes (tu) → La personne à qui l'on parle. **Elle** saute (elle) → La personne de qui l'on parle. **Ils** sautent (ils) → Les personnes de qui l'on parle. **Vous** sautez (vous) → Les personnes à qui l'on parle.

Exercice 9 page 84

	1re pers.	2e pers.	3e pers.	Masc.	Fém.	Masc. ou fém.	Sing.	Plur.
Sapristi ! Mais si j'interromps mon expérience, je vais rater ma transmutation, moi !…	X					X	X	
Allons, allons, tu vas tout de même pas te laisser abattre…		X				X	X	
Aïe Aïe Aïe ! Dans quelle chambre était-il déjà, celui-là?			X	X			X	
Eh bien, voilà… Nous venions de prendre de l'essence et nous roulions tranquillement lorsque…	X					X		X
Ils sont fous ces Romains !			X	X				X
Auriez-vous un problème de chameau ?		X				X		X
Une lampe qui a éclaté !!… Mais d'où a-t-elle bien pu dégringoler ?!…			X		X		X	

Exercice 10 page 85

Relâche ta prisonnière! Ça peut **nous** faire gagner du temps. C'est l'automne… c'est le moment de l'année où **je** me pose des questions. C'est quoi que **tu** as mis comme pommade à Bill? Nous allons nous schtroumpfer parmi les humains, et écouter ce qu'**ils** racontent! **Vous** chantez, **vous** aussi? Un sabre… **il** me faut un sabre! Ah! Bonjour, ben voilà. **Je** suis bloqué au fond d'une oubliette… dans le jeu «Donjon lugubre»… Évitez de respirer cette fumée, **elle** est peut-être empoisonnée!

Exercice 11 page 86

a) Nous sommes deux policiers maladroits. Nous portons des chapeaux melon et des complets vestons noirs. On pense que nous sommes jumeaux, mais, par la forme de nos moustaches, nous sommes distincts. b) Je suis un petit chien blanc. Mon maître est gros, il a toujours un petit creux et il raffole du sanglier rôti. c) Si vous me rencontrez, attention à vous! Il peut vous arriver malheur! Je suis le plus grand gaffeur de tous les temps. d) Savais-tu que ce cow-boy tire plus vite que son ombre?

Exercice 12 page 87

e) C'est un grand savant, mais quand on lui parle, il entend tout de travers. f) Ils sont quatre frères malcommodes et Lucky Luke est toujours après eux. g) Nous sommes des petits lutins bleus, un sorcier nous aime beaucoup… en purée.
h) J'habite Vivejoie-la-Grande en France. Je possède une force surhumaine, mais quand j'attrape un rhume, je la perds.

Exercice 13 page 87

En bleu (GS): les pronoms soulignés deux fois. En vert (compléments du verbe): les pronoms en gras.
i) Si vous voulez **le** satisfaire, offrez-**lui** un jeu vidéo. j) Je suis un as de l'aviation. On peut **me** confier n'importe quelle mission. k) Je suis le chien de la prison. Mon flair n'est pas fameux. Donnez-**moi** un os, je **vous** suivrai partout. l) Il est le druide d'un village de Gaulois. Il a inventé une potion qui **les** rend invincibles. m) Il est capitaine au long cours. Ses injures **l'**ont rendu célèbre. Boire de l'eau **le** rend malade.

Exercice 14 page 87

Exemple de réponse: Je suis un petit garçon qui possède une force surhumaine, mais quand j'attrape un rhume, je la perds. (*Benoît Brisefer*)

Exercice 15 pages 88-89

A. il. B. il, elles. C. nous, il, il. D. elles, il. E. vous, lui. F. elles. G. les. H. lui.

Exercice 16 page 90

a) la, là, la, l'a. b) l'a, là, la, la. c) la, la, l'as, la, là, la.

Exercice 17 page 90

La femme marchait lentement sur la ligne blanche au milieu de **la** route. Dès que Joe l'a aperçue, il **l'a** interpellée et lui a demandé ce qu'elle faisait **là**, seule, dans la nuit.

Exercice 18 page 91

a) leur, leur. b) leur, leurs. c) leurs. d) leur, leurs. e) leurs, leur. f) Leur, leur.

Exercice 19 page 91

Ne leur demandez pas de vous inviter chez eux: leur maison craque de partout, leur télévision ne capte qu'une chaîne, **leurs** chaises sont défoncées, leur réfrigérateur fait un bruit d'enfer, **leurs** calorifères coulent, rien ne fonctionne. Mais si vous êtes bricoleur, vous pourriez leur rendre service en leur faisant une petite visite.

Exercice 20 page 91

Exemple de réponse: **Leurs** (*déterminant*) enfants **leur** (*pronom personnel*) causent bien des problèmes!

Exercice 21 page 93

Ma veste → la mienne; ta veste → la tienne; sa veste → la sienne; votre veste → la vôtre; notre veste → la nôtre; leur veste → la leur; mes vestes → les miennes; tes vestes → les tiennes; ses vestes → les siennes; vos vestes → les vôtres; nos vestes → les nôtres; leurs vestes → les leurs; mes foulards → les miens; leur voiture → la leur; son chandail → le sien; nos bracelets → les nôtres; vos montres → les vôtres; ton collier → le tien.

Exercice 22 page 93

a) la tienne. b) les vôtres. c) la leur.

Exercice 23 page 93

a) les siennes. b) la tienne. c) le vôtre. d) les nôtres. e) les leurs. f) le leur.

Exercice 24 pages 94-95

A. (son crayon) → le sien; (ton crayon) → le tien; (son problème) → le sien; (sa règle) → la sienne. B. (mes malheurs) → les miens; (Mes malheurs) → Les miens; (ses malheurs) → les siens; (mes malheurs) → les miens; (nos malheurs) → les nôtres. C. (notre chocolat) → le nôtre; (mon chocolat) → le mien; (votre chocolat) → le vôtre; (leur chocolat) → le leur. D. (votre tour) → le vôtre; (sa place) → la sienne; (ma cabine) → la mienne. E. (ta place) → la tienne; (ma place) → la mienne; (ta casquette) → la tienne. F. (leur problème) → le leur; (ta soirée) → la tienne; (leur soirée) → la leur. G. (ton assiette) → la tienne; (leur assiette) → la leur; (son assiette) → la sienne; (mon assiette) → la mienne.

Exercice 25 pages 96-97

[des conseils] → qui. 1) [des choses] → que. 2) [les loups] → qui; [les ours] → auxquels; [des comportements] → qui; [n'importe quel bruit] → qui; [des mouvements brusques] → qui. 3) [la raison] → laquelle; [l'endroit] → où; [une marque bien visible] → dont, → qui; [cet endroit] → que, → où. 4) [un feu de détresse] → qui; [aux personnes] → qui; [La technique] → que; [des pierres] → qui; [une précaution] → qui; [un tas d'écorce de bouleau] → lequel; [une couche de mousse] → que; [une colonne de fumée] → qui, → que. 5) [un message de détresse] → que; [des pierres et des branches] → lesquelles; [un immense SOS] → que, qui.

Exercice 26 page 98

6) laquelle, lequel, lesquels, auquel, laquelle, auxquelles, lesquelles, lequel, auquel.

Exercice 27 page 98

7) Si tu es en forme, tu as des réserves qui te **permettent** de passer facilement quelques jours sans nourriture. Ne mange surtout pas des plantes qui te **sont** inconnues. Ne touche pas aux champignons qui **peuvent** être extrêmement dangereux. Si tu es en terrain humide, retiens cependant ceci: la quenouille, qui **pousse** partout, a une racine qui **est** comestible.

Exercice 28 page 99

8) que, que, dont. 9) dont, dont, que, que.

Exercice 29 page 99

Exemple de réponse: La résine, **que** l'on trouve sur les troncs d'arbre et **qui** flambe facilement, peut servir à se fabriquer une petite torche. Il suffit de récolter une boule de résine **que** l'on place au bout d'une branche avant de l'allumer.

Exercice 30 page 100

a) ~~aller au cinéma~~ → cela ou ça. b) ~~les films~~ → ceux. c) ~~cette comédienne-ci~~ → celle-ci; ~~cette comédienne-là~~ → celle-là.
d) ~~mes films préférés~~ → ce. e) ~~mon film préféré~~ → c'.

Exercice 31 page 101

Le Seigneur des anneaux: Celui-ci, c', ceux-ci. *Le Fabuleux Destin d'Amélie Poulain*: celle, C', cela, ceux, ceux.
Le Tunnel: celle-ci, ceux, celle-ci, celle.

Exercice 32 page 102

Braquage : se, se, se, ce, se, ce, se. *Un homme d'exception* : se, se, se, ce, Ce, ce, Ce, se.

Exercice 33 page 103

a) quoi. b) Que. c) Lesquelles.

Exercice 34 page 103

a) Quelqu'un. b) Plusieurs. c) tous. d) rien. e) personne.

Exercice 35 page 104

Chauffe le four à 180 ºC (350 ºF). Mélange la farine, la levure et le cacao dans un grand bol. Mets [4]**celui-ci** de côté. Dans un autre bol, verse le sucre, les œufs et l'huile, puis bats-[1]**les** jusqu'à [4]**ce** que le mélange ressemble à de la mousse.
Ajoute les carottes, [3]**qui** devront avoir été râpées finement, et les noix ([4]**celles-ci** peuvent être hachées grossièrement). Verse ce mélange dans le grand bol [3]**que** [1]**tu** as mis de côté. Mélange le tout afin d'obtenir une pâte [3]**qui** sera bien homogène, puis dépose [4]**celle-ci** dans un moule rectangulaire (22 cm x 34 cm) [3]**que** [1]**tu** auras d'abord graissé.
Fais cuire pendant 55 à 60 minutes. Pour savoir si ton gâteau est prêt, [1]**tu** peux en piquer le centre avec un couteau, [4]**celui-ci** doit ressortir propre.
Attends 15 minutes avant de [1]**le** démouler, sinon, le gâteau risque de [1]**se** défaire. Laisse-[1]**le** refroidir complètement sur une grille.
Ce gâteau [1]**se** conserve au moins trois jours. [1]**Il** contient les calories [3]**dont** [5]**on** a grand besoin lors de promenades en forêt. [4]**C'**est une excellente collation. Tout bon randonneur doit d'ailleurs emporter [2]**la sienne**, sinon, [1]**il** risque de ne pas tenir longtemps.

Les homophones

Exercice 1 page 106

La famille

Aujourd'hui, **mes** parents font un **saut** au **bal** masqué donné par le **maire**. Ma mère boit un **verre** de **vin**, elle renverse un seau à champagne et une coupe remplie d'**amandes**, puis elle traite de sot le secrétaire déguisé en ver de terre, qui devient vert tout d'un **coup**. Résultat : elle reçoit une amende de vingt sous. Mon **père**, qui porte pour l'occasion une paire de chaussettes dépareillées, **se** fait du mauvais **sang** et regarde sans arrêt vers la sortie. Il ne **sait** plus **où** aller. Il pense qu'il aurait mieux fait de rester à la maison pour regarder la télévision ou de faire ses **comptes** dans la voiture.
Pendant ce temps, je garde mon petit frère qui souffre atrocement d'un mal de cou, mais qui veut absolument aller jouer à la balle au bord de la mer.
Je suis obligé de lui lire cent fois le même conte pour le calmer.

Exercice 2 page 107

amande : amende
bal : balle
conte : compte
ce : se
ces : ses
chant : champ
chêne : chaîne
la : là
mère : maire, mer
ma : mât
mes : mets, mais
ou : où
peau : pot
père : paire
point : poing
sa : ça
sans : sang, cent
si : scie, s'y
saut : sot, seau, sceau
sur : sûr
vert : vers, ver, verre
vingt : vin

Exercice 3 page 107

a) Fruit de l'amandier : **amande**. Somme à payer quand on commet une infraction : **amende**. b) Indique une possession (à moi) : **mes**. Indique une opposition (cependant) : **mais**.

Exercice 4 page 108

a) Mon cousin Louis pollue l'**air** que je respire. b) La cousine Berthe a eu une contravention dans l'**aire** de stationnement.

Exercice 5 page 108

a) Berthe devra payer une grosse **amende**. b) Le petit Léo a avalé une **amande** de travers.

Exercice 6 page 108

a) Mon oncle Conrad écrit ses lettres à l'**encre** violette. b) Mon oncle Albert a une **ancre** tatouée sur le bras.

Exercice 7 page 109

a) Conrad est l'**auteur** d'un recueil de poèmes. b) Mon grand-père est un ancien champion de saut en **hauteur**.

Exercice 8 page 109

a) Berthe et son mari se sont rencontrés à un **bal** masqué. b) Mon oncle Anatole a une **balle** de golf à son nom.

Exercice 9 page 109

a) Les jours de pluie, Conrad compose des **ballades**. b) Mon cousin Léo adore les **balades** en auto.

Exercice 10 page 109

a) Conrad est maigre comme un manche à **balai**. b) Oncle Albert a épousé une danseuse de **ballet** du Cambodge.

Exercice 11 page 110

a) Mon oncle Antoine peut tordre une **barre** de fer avec ses mains. b) Conrad a passé le jour de Noël dans un **bar**.

Exercice 12 page 110

a) Mon oncle Alfred élève une **cane** dans son garage. b) Ma grand-mère refuse de marcher avec sa **canne**.

Exercice 13 page 110

a) Alfred a planté un **chêne** au bout de son champ. b) Berthe a coincé sa jupe dans la **chaîne** de son vélo.

Exercice 14 page 110

a) Ma sœur aime le **chant** du rossignol. b) Le petit Léo s'est perdu dans le **champ** de maïs.

Exercice 15 page 111

a) Mon oncle Conrad a le **cœur** brisé. b) La femme d'Alfred chante dans un **chœur**.

Exercice 16 page 111

a) Le cousin Jérémie est incapable de **compter** jusqu'à dix. b) Louis, arrête de **conter** des mensonges.

Exercice 17 page 111

a) Léon a cassé la baie vitrée du salon d'un seul **coup** de marteau. b) Le **coût** de la réparation sera très élevé. c) Berthe a un long **cou** gracieux.

Exercice 18 page 111

a) Mon oncle Antoine donne un **cours** d'autodéfense. b) Mon oncle Alfred élève des poules dans sa **cour**.

Exercice 19 page 112

a) « Il me **dégoûte** ! » m'a dit ma sœur d'un air méprisant. b) Chez Berthe, le robinet de la cuisine **dégoutte** sans arrêt.

Exercice 20 page 112

a) Le **do** de ma clarinette sonne faux. b) Mon cousin Louis a mis un poisson mort dans mon sac à **dos**.

Exercice 21 page 112

a) Léo essaye d'attraper le pot de confiture dans le **haut** du placard. b) Anatole ne met pas souvent d'**eau** dans son vin.

Exercice 22 page 112

a) Conrad a rarement **faim** le matin. b) Berthe a manqué la **fin** du film.

Exercice 23 page 113

a) Mon oncle Albert a fait dix **fois** le tour de la Terre. b) Conrad n'a plus **foi** en la vie. c) Ma mère a toujours mal au **foie**.

Exercice 24 page 113

a) À six ans, Jérémie est incapable de **lacer** ses souliers. b) Il peut répéter cent fois la même farce sans se **lasser**.

Exercice 25 page 113

a) Mon oncle Armand mesure près de deux **mètres**. b) Mon chien a cinq **maîtres**.

Exercice 26 page 113
a) Ma tante est la **mère** de huit enfants. b) Albert a traversé la **mer** de Chine en radeau. c) Mon oncle Anatole est **maire** depuis vingt ans.

Exercice 27 page 114
a) Le livre de Conrad s'appelle « La **malle** aux souvenirs cachés ». b) Dans son livre, il s'interroge sur le bien et le **mal**.

Exercice 28 page 114
a) Léon n'arrête pas de lancer des boules de **mie** de pain. b) Le **mi** de ma clarinette sonne faux.

Exercice 29 page 114
a) Léo a dessiné des monstres sur les **murs** du salon. b) La confiture de **mûres** de ma mère est dure à battre.

Exercice 30 page 114
a) Le chalet d'Anatole est en **pin**. b) Je ne mange pas de ce **pain**-là !

Exercice 31 page 115
a) Armand ne trouve jamais une **paire** de souliers à sa taille. b) « Mon **père** est plus fort que le tien », m'a dit Léon.

Exercice 32 page 115
a) Conrad ira **panser** ses plaies à Florence. b) La femme d'Albert n'arrête pas de **penser** à son pays natal.

Exercice 33 page 115
a) Toutes les fleurs en **pot** de Berthe ont gelé. b) Berthe a glissé sur une **peau** de banane.

Exercice 34 page 115
a) Mon oncle Antoine peut soulever un **poids** de 80 kg. b) Chez mon oncle Alfred, on mange souvent de la soupe aux **pois**.

Exercice 35 page 116
a) Louis a donné un coup de **poing** à un inconnu. b) Le poème de Conrad ne contient qu'un seul **point** et aucune virgule.

Exercice 36 page 116
a) Berthe a passé une journée au vieux **port**. b) Mon oncle Alfred élève un **porc** dans son garage.

Exercice 37 page 116
a) Les pleurs de Léo **résonnent** dans la nuit. b) Louis et Léon **raisonnent** avec leurs pieds.

Exercice 38 page 116
a) Mon cousin Jérémie est un **sot**. b) Mon grand-père est un ancien champion de **saut** en ski. c) Léon m'a réveillé en me versant un **seau** d'eau sur la tête.

Exercice 39 page 117
a) Mon oncle Anatole n'est pas **sûr** d'être réélu. b) La confiture de rhubarbe de Berthe a un goût trop **sur**.

Exercice 40 page 117
a) Ma **tante** Berthe est malchanceuse. b) « Armand ! Tes pieds dépassent de la **tente** ! »

Exercice 41 page 117
a) Ma sœur s'est teint les cheveux en **vert**. b) Berthe a renversé son **verre** de vin sur sa jupe blanche. c) Mon cousin Léon a apprivoisé un **ver** de terre.

Exercice 42 page 117
a) Conrad cherche encore sa **voie** dans la vie. b) Léo a tellement pleuré qu'il a la **voix** cassée.

Exercice 43 page 119

De quelle ville parle-t-on ?

Surnommée la Sérénissime, la ville **a** été fondée en 568 et pendant des siècles **a** rayonné sur toute l'Europe. Elle **a** connu son heure de gloire **à** la Renaissance, puis son déclin **à** la fin du XVIIIe siècle. Aujourd'hui, mis **à** part la splendeur de son architecture, cette ville **a** une grande notoriété pour son carnaval, qui **a** lieu chaque hiver, et pour son festival international de cinéma, *La Mostra*, qui **a** une grande réputation. C'est aussi devenu un lieu de prédilection pour les nouveaux mariés **à** l'occasion de leur voyage de noces.

Lorsque le voyageur arrive **à** l'aéroport de Marco Polo ou **à** la gare, il **a** la possibilité de prendre le *vaporetto*, ce bateau **à** moteur qui sert d'autobus et qui mène **à** tous les sites importants de la ville.

Les déplacements **à** travers les innombrables canaux de la ville se font **à** pied, en gondole ou en bateau. Le touriste **a** l'embarras du choix. Il y **a** près de cinq cents palais et une centaine d'églises **à** visiter. Le célèbre palais des Doges, par exemple, qui **a** été bâti au XIVe siècle, est **à** voir absolument, ainsi que la non moins célèbre basilique Saint-Marc, située **à** l'arrière.

Exercice 44 page 120

De quel sport parle-t-on ?

Ça se passe en 1987, au Forum, pendant un match de quart de finale opposant Québec et Montréal. Nous sommes à la fin de la 3e période. Jusque-là, **ça** a été une rencontre très équilibrée bien que mouvementée. Soudain, sortant en trombe de **sa** zone, Alain Côté arrive dans l'enclave, utilise **sa** feinte préférée et lance un boulet de canon vers le gardien. Dans **sa** tête, **ça** ne fait aucun doute : il y a but et **ça** commence à sentir la victoire. Mais il semble que **ça** ne fait pas l'affaire de l'arbitre Kerry Fraser, qui refuse le but. Faut-il mettre en cause **sa** bonne foi, **sa** partialité ou **sa** vision du jeu ? **Ça** reste à voir ! Quoi qu'il en soit, **sa** décision entachera **sa** réputation, qui en prendra pour son rhume.

Québec a perdu le match et la série. Depuis, Alain Côté, interrogé à plusieurs reprises pour donner **sa** version des faits, est, pour **sa** part, persuadé que le but était bon, même si **ça** déplaît encore aujourd'hui aux Montréalais.

Exercice 45 page 121

De quel animal parle-t-on ?

Ce mammifère est le plat favori d'Obélix, personnage célèbre d'une bande dessinée. Il **se** rencontre dans les forêts de nombreux pays. Il **se** caractérise par un cou massif, une tête conique et un pelage brun, dru et rêche.

Il **se** roule fréquemment dans la boue, **ce** qui l'aide à **se** débarrasser des parasites. Pour marquer son territoire, il **se** frotte contre les troncs d'arbre.

Ce grand tapageur, dont les grognements se font entendre de loin, **se** sauve en présence de l'homme, et **ce**, de manière agile et rapide. Mais il peut **se** montrer agressif s'il **se** sent attaqué. La femelle, qui **se** nomme la laie, peut **se** révéler particulièrement dangereuse si elle croit ses petits en danger.

Exercice 46 page 123

De quel personnage de bande dessinée parle-t-on ?

C'est dans l'album *Sur la piste des Dalton* qu'il **s'est** distingué pour la première fois. Ce personnage de Goscinny est une caricature de Rintintin, héros d'une série télévisée américaine des années 1960. **C'est** pourtant l'opposé du célèbre Rintintin qui **s'est** fait connaître par **ses** prouesses et qui « aidait **ses** amis en difficulté en toutes circonstances ».

« Gardien » d'un pénitencier, il doit surveiller les Dalton, **ces** fameux hors-la-loi qui sèment la terreur. Mais **c'est** la bêtise qui caractérise notre héros. **Ses** décisions, **ses** réactions et **ses** réflexions sont particulièrement absurdes et stupides. Sa principale préoccupation, **c'est** manger. Il **s'est** déjà fait remarquer pour son courage, mais c'était involontaire ! **C'est** le grand ami d'Averell Dalton. Ce dernier, souffre-douleur de **ses** trois frères, est lui aussi un idiot sympathique. **Ces** deux individus se comprennent et se complètent parfaitement.

Exercice 47 page 124

De quel chanteur parle-t-on ?

La carrière de ce chanteur commence dès ses huit ans, à **la** cathédrale de Saint-Jean, à Lafayette, en Louisiane. C'est **là**, alors qu'il est soprano dans **la** chorale des garçons, qu'il découvre sa vocation.

Sa famille, d'origine cajun, **l'a** élevé dans l'amour de **la** musique et de **la** langue française. **La** tradition acadienne de **la** Louisiane **l'a** beaucoup influencé. Il **la** célèbre dans **la** plupart de ses textes, c'est **là** sa source principale d'inspiration.

Après un bref séjour à New York, il part pour **la** France, **là** où un premier public le découvre. Le Québec l'accueille vers **la** fin des années 1970. À cette époque-**là**, il enregistre **la** chanson « Travailler c'est trop dur », chanson qui **l'a** propulsé dans le monde des stars.

Exercice 48 page 125

De quel métier parle-t-on ?

Depuis trente ans, **ma** sacoche sur l'épaule, je sillonne les rues de **ma** ville. **Ma** journée commence à 8 h et se termine à 16 h. Une seule chose **m'a** dérangé jusqu'ici dans **ma** profession : les chiens. Au début de **ma** carrière, un molosse **m'a** mordu au mollet et récemment, un autre **m'a** déchiré **ma** chemise. **Ma** résignation et **ma** patience ont des limites : j'ai décidé de ne plus livrer le courrier dans les maisons où **ma** sécurité et **ma** qualité de vie sont menacées. **Ma** supérieure hiérarchique, sensible à **ma** situation, **m'a** d'ailleurs autorisé à changer **ma** tournée en fonction des « maisons à chien ». Elle **m'a** promis que, dorénavant, **ma** collègue Lucie s'en chargerait.

Exercice 49 page 126

De quel signe astrologique parle-t-on ?

Mes amis sont venus chez moi pour fêter **mes** dix-huit ans, **mais** ils se sont trompés de date. Mon anniversaire est en été, **mais** ils sont venus au printemps.

Mes principales qualités sont la générosité, le courage et la loyauté, **mais** je peux aussi être tyrannique et très susceptible, surtout avec **mes** parents.

Mes couleurs préférées sont le gris et le bleu, **mais** j'aime bien le jaune.

Mes jours préférés sont le lundi et le jeudi, **mais** je ne déteste pas le vendredi.

Je m'entends bien avec mon père, **mais** un peu mieux avec ma mère.

J'ai le même signe astrologique que **mes** deux peintres préférés, Modigliani et Rembrandt, **mais** c'est aussi celui de Marcel Proust, un écrivain que **mes** parents m'ont forcé à lire quand j'avais quatorze ans.

Le mois de mon anniversaire contient un **u** et un **i**, **mais** ne contient pas de **t**.

Exercice 50 page 127

Charades

a) **Mon** premier est une colline. **Mon** second est un prénom. **Mon** tout est une ville.

J'y ai passé **mon** enfance et **mon** adolescence. Des voisins **m'ont** apprécié, d'autres ne **m'ont** jamais regardé. **Mon** oncle et **mon** cousin habitaient à côté, ils **m'ont** appris à jouer au hockey.

b) **Mon** premier est le verbe **voir** conjugué à la 2e personne du passé simple. Les animaux peuvent attraper **mon** second. **Mon** tout est un prénom indien, mais c'est aussi un tournant.

Mon père et ma mère **m'ont** donné un drôle de prénom. Ils **m'ont** souvent raconté que c'était en souvenir de leur voyage de noces en Inde. **Mon** frère et **mon** cousin **m'ont** embêté toute **mon** enfance à cause de ça. Mes amis **m'ont** beaucoup taquiné aussi. Surtout que **mon** nom de famille est Aucoin.

Exercice 51 pages 128-129

De quel jeu parle-t-**on** ?

C'est un jeu de stratégie dont les pièces représentent deux armées. Les joueurs **ont** pour but de s'emparer du roi de l'adversaire. Les règles que l'**on** connaît aujourd'hui **ont** été élaborées au Moyen Âge.

On a retrouvé des traces de ce jeu en Inde au Ve siècle de notre ère. **On** pense que son ancêtre est un jeu indien, qui porte le nom sanscrit de *chaturanga*.

Dans une célèbre légende, **on** fait remonter sa création à 3 000 ans avant Jésus-Christ. **On** y raconte l'histoire d'un roi et de sa cour qui s'ennuyaient horriblement. Le roi avait promis une récompense à celui qui réussirait à les distraire. Un jour, **on** vit donc arriver un sage qui enchanta tout le monde avec son jeu où l'**on** devait déplacer sur une planche des fous, des cavaliers, des tours…

Le roi et sa cour **ont** été vivement impressionnés, c'est le moins qu'**on** puisse dire. Mais ils **ont** vite déchanté quand ils **ont** appris quelle récompense demandait le sage. Ils **ont** réalisé qu'**on** devrait ruiner tout le royaume pour le satisfaire. En effet, il demandait qu'**on** dépose un grain de blé sur la première case de la planche de jeu, deux grains sur la deuxième, quatre sur la troisième et ainsi de suite jusqu'à la 64e case. Si l'**on** calculait bien, **on** arrivait à des milliards de milliards de grains.

Pour la fin de cette histoire, **on** connaît deux versions. Dans l'une, **on** dit que le sage a eu la tête coupée pour une telle insolence. Dans l'autre, **on** prétend que le roi et ses conseillers **ont** accepté, à condition que le sage compte lui-même les grains sur l'échiquier.

Exercice 52 page 129

De quelle fleur parle-t-on ?

Cette plante à bulbe aime le plein soleil **ou** les endroits protégés du vent. On en trouve depuis des siècles en Turquie, **où** l'on avait l'habitude d'offrir des bulbes en cadeau. Cette vivace a fait la renommée de la Hollande, **où** certaines espèces valent des fortunes. Aujourd'hui, c'est encore le pays **où** l'on peut en voir le plus de variétés. On peut planter le bulbe en automne (en septembre **ou** en octobre), pour une floraison au printemps, **ou** le planter au printemps (en mai **ou** en juin), pour une floraison pendant l'été. On choisira de préférence un emplacement **où** le sol est bien irrigué.

Exercice 53 page 130

De quel appareil parle-t-on ?

Il n'y a pas si longtemps, **peu** de gens en avaient chez eux. Aujourd'hui, on **peut** le trouver dans presque tous les foyers. Il **peut** aussi bien trôner au milieu du salon qu'être oublié dans le sous-sol. Il **peut** même traîner dans l'entrée et servir de portemanteau.

On **peut** l'utiliser en lisant, en étudiant, en bavardant, en regardant la télévision, **peu** importe. Pour **peu** que l'on y consacre un **peu** de temps et un **peu** d'énergie, il **peut** nous faire perdre un **peu** de poids si l'on en fait régulièrement.

Le principe est simple, il **peut** se résumer en une phrase : on parcourt beaucoup de kilomètres, mais on voit **peu** de paysage ! Ce n'est pas **peu** dire, puisque personne ne **peut** se déplacer avec cet engin qui, malgré la première partie de son nom, a **peu** de chose à voir avec un moyen de transport.

S'il **peut** raffermir un **peu** les mollets et contribuer à la bonne santé du cœur, il est **peu** utile pour développer les capacités intellectuelles. Mais à **peu** près tout le monde s'accorde pour dire que cet appareil, quoique un **peu** encombrant, est à **peu** de chose près un remède miracle à tout problème de santé, je **peux** le garantir !

Exercice 54 page 131

De **quelle** fable parle-t-on ?

Elle ne se lassait pas de le regarder. « **Quel** bel animal, pensait-elle. **Quelle** allure, **quelle** noblesse ! **Quel** port de tête ! **Quelles** belles manières ! »
Elle se disait **qu'elle** aimerait bien être comme lui un jour, alors **qu'elle** n'était pas plus grosse que n'importe **quel** œuf. Il fallait absolument **qu'elle** trouve un moyen pour l'égaler, du moins en grosseur. Le succès **qu'elle** aurait auprès de ses sœurs serait… **quels** mots choisir ? Grandiose ! Incroyable ! Extraordinaire !

Au début, **quelle** ne fut pas sa joie de constater **qu'elle** ne faisait que retenir son souffle et **qu'elle** arrivait à grossir un peu. Elle demandait à ses camarades **qu'elles** donnent leur avis. **Quels** que soient ses efforts, lui disaient-elles, il fallait **qu'elle** gonfle encore et encore.

« La chétive pécore s'enfla si bien **qu'elle** creva. » **Quelle** triste histoire !

Exercice 55 page 132

De quelle pièce de la maison parle-t-on ?

C'était l'endroit de la maison qui était le plus éclairé. Les grandes fenêtres de devant ont été longtemps **sans** rideau. Le plancher ciré, **sans** une tache, reflétait le soleil toute la journée.

Cent fois par jour – mon frère aîné **s'en** souvient encore –, ma mère nous demandait de ne pas y laisser traîner nos affaires.

En entrant, à droite, une petite bibliothèque contenait les **cent** livres préférés de mon père. Quand on déplaçait un livre par inadvertance, on **s'en** mordait les doigts, car mon père **s'en** apercevait à tous les coups.

Sur le mur du fond, au-dessus de la cheminée, ma mère avait accroché la photo de mariage de ses parents et au moins **cent** photos de nous.

Exercice 56 page 133

De quel plat parle-t-on ?

Ingrédients pour quatre personnes : 8 endives, 2 tranches de jambon, 1 tasse de gruyère râpé, 2 tasses de sauce béchamel.
Enlever à chaque endive **son** extrémité dure, faire cuire 10 minutes à l'eau bouillante salée, puis égoutter. Couper chaque endive dans **son** milieu et placer dans un plat à gratin beurré. Saler et poivrer, saupoudrer de gruyère râpé, garnir d'une lanière de jambon, puis recouvrir chaque endive avec l'autre moitié. Quand tous les légumes **sont** ainsi parés, verser dessus la sauce béchamel. Cuire au four, à 180 ºC, pendant environ une demi-heure.
Les endives **sont** prêtes quand le dessus est bien grillé.
Ce plat est meilleur l'hiver, quand la saison de l'endive bat **son** plein. **Son** goût se marie avec du vin rouge ou avec du vin blanc.

Exercice 57 page 134

De quel objet parle-t-on ?

Si le mot qui le désigne ne contenait pas de voyelles, ce serait une taxe.
Si sa dernière lettre était un **r** plutôt qu'un **s**, il désignerait un animal.
Si l'on cherche un synonyme, carpette ou moquette **s'y** prêtent bien.
Si on le voit devant une porte, on **s'y** essuie les pieds.
Ceux fabriqués en Perse sont **si** beaux.
Si l'on aime voler, on s'en sert comme moyen de transport.
Si l'on ne veut pas marcher, il peut nous faire rouler.
Si un chien est fatigué, il **s'y** étend volontiers.
Si un boxeur est KO, il **s'y** rend aussitôt.
Ceux qui en vendent sont **si** rusés qu'on ne **s'y** retrouve plus.
Ces derniers sont **si** convaincants qu'ils nous vendraient la Lune.
On **s'y** laisserait facilement prendre.

Exercice 58 pages 135-136

TEST – **Quel** métier choisir ?

Pour chaque énoncé, coche **la** case qui te décrit le mieux : O pour *oui*, N pour *non* et D pour ***ça** dépend*.

1. Certains aiment le bleu; quant **à** moi, je préfère le **vert**.
2. Je prépare souvent **à ma mère son** déjeuner.
3. Le matin, il faut **s'y** prendre **à** dix **fois** pour me réveiller.
4. **Ce** n'est pas **à** moi qu'**on conte** des histoires.
5. **Si on** n'**a** plus de lait, **c'est** moi qui vais en acheter.
6. **On** ne **peut** jamais deviner **ce** que je **pense**.
7. Les murs **ont** des oreilles, **c'est là ma** devise.
8. Les amis de **ses** amis **sont mes** amis.
9. Il ne faut jamais **s'en** aller **sans** tout fermer à clé.
10. Quand **on s'est** trompé, **on** apprend de **ses** erreurs.
11. **Ce sont** souvent les mêmes qui **ont** tort.
12. Il ne **se** passe pas un jour **sans** que j'aie **cent** idées.
13. Un **verre** de lait, **c'est** bien, **mais** deux, **c'est** mieux.
14. La **mer ou** la montagne, **peu** m'importe.
15. **Si on m'a** menti, **on s'en** mord les doigts.
16. « **Quelle** belle **voix** tu as! » **m'ont** dit **mes** amis.
17. **Mon père m'a** demandé de sculpter **sa canne**.
18. Je vivrais sous la **tente** toute l'année **sans** me **lasser**.

Exercice 59 page 136

Résultats

• L'alimentation, le commerce de gros ou de détail
Si tu as répondu *non* **à** l'énoncé 3 et **si** tu as une majorité de *oui* aux énoncés 5, 6, 8, 9 et 13, tu es à ta place derrière le comptoir d'une épicerie **ou** d'une boulangerie, **c'est là** que tes qualités pourront s'épanouir.
• Les services, la santé **ou** l'enseignement
Si tu as répondu *non* aux énoncés 3 et 15 et que tu as une majorité de *oui* aux énoncés 2, 5, 8, 10 et 13, médecin, barbier ou enseignant **sont** de bonnes options.
• La sécurité **ou** l'investigation
Si tu as répondu *non* à l'énoncé 8 et que tu as une majorité de *oui* aux énoncés 4, 6, 7, 9, 11 et 15, gardien de nuit **ou** policier t'iraient comme un gant.
• L'écologie ou le plein air
Si tu as répondu *non* **à** l'énoncé 3 et que tu as deux *oui* sur trois aux énoncés 1, 14 et 18, tu es **sûr** d'être heureux en travaillant **à** l'extérieur, comme fleuriste ou arpenteur, par exemple.
• Les arts
Si tu as répondu *non* aux énoncés 5 et 9 et que tu as trois *oui* sur quatre aux énoncés 12, 14, 16 et 17, les métiers **où** la créativité et l'imagination **s'en** donnent à cœur joie t'iraient très bien : sculpteur, chanteur, sans oublier décorateur.
• Si tu as une majorité de D, tu n'as pas encore trouvé ta **voie**, **mais c'est** une question de temps. Il **se peut** que tu découvres un peu plus tard **quel** métier te conviendra le mieux.